Gwalch y Nen

Gwalch y Nen

Gill Lewis

Addasiad Elin Meek

Gwalch y Nen
ISBN 978-1-84967-1163

Cyhoeddwyd gan RILY Publications
Blwch Post 20
Hengoed, CF82 7YR

Addasiad Elin Meek

Cyhoeddwyd yn wreiddiol yn Saesneg yn 2011 fel
Sky Hawk gan Oxford University Press

Dymuna'r cyhoeddwyr gydnabod cymorth Cyngor Llyfrau Cymru.

Cysodwyd mewn 12/16 Garamond
gan Wasg Dinefwr, Llandybïe, Sir Gaerfyrddin

Argraffwyd a rhwymwyd ym Mhrydain
gan CPI Cox & Wyman Ltd, Reading, Berkshire, RG1 8EX

www.rily.co.uk

I
Roger,
Georgie, Bethany a Jemma

ac i
Huw
sy'n dal i gerdded y mynyddoedd gyda mi

Rhagair

Mae patrwm y tirlun hwn wedi'i wreiddio'n ddwfn ddwfn yn ei chof. Mae hi'n marchogaeth y cerrynt o aer sy'n llifo fel dyfroedd gwyllt dros y mynyddoedd. Islaw, mae'r llynnoedd yn adlewyrchu'r cymylau a'r heulwen, yn gorwedd yn llonydd yn y cymoedd fel darnau o awyr wedi'u dryllio. Mae gwynt oer y gogledd yn dod â phersawr coed pîn a grug i ffroenau ei chof. Mae'r dyffrynnoedd wedi'u cerfio gan y rhew yn ei harwain.

Mae hi ar ei ffordd.

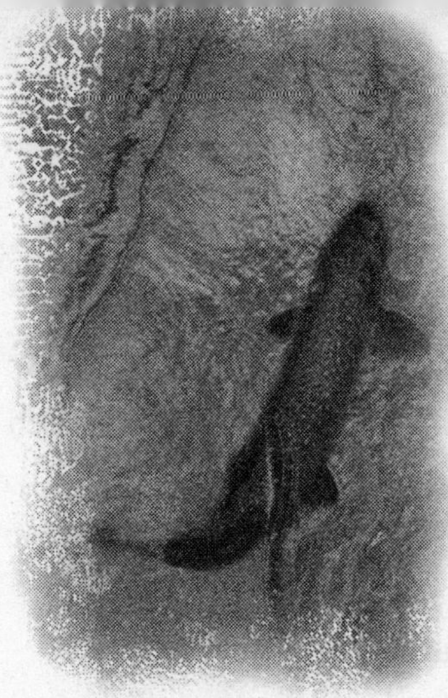

Pennod 1

Fi welodd hi gyntaf, merch welw fain yn gorwedd ar graig wastad islaw'r rhaeadrau gwyllt. Roedd hi'n pwyso dros y lan, yn estyn i lawr i bwll dwfn o ddŵr llonydd. Roedd ewyn dŵr yr afon yn chwyrlïo ac yn glynu wrth ei llewys oedd wedi'u torchi, ac wrth gudynnau o'i gwallt hir coch. Roedd hi'n gwylio rhywbeth yng nghysgodion dwfn yr afon.

Stopiodd Rob ac Euan eu beics wrth fy ymyl yn y bwlch yn y coed, a sgidiodd y teiars ar y llwybr mwdlyd.

'Beth sy 'na, Callum?' meddai Rob.

'Mae rhywun lawr 'na,' atebais. 'Merch.'

Gwthiodd Euan gangen binwydd naill ochr i gael gwell golwg i lawr i'r afon. 'Pwy yw hi?'

'Dim syniad,' meddwn i. 'Ond dyw hi ddim yn gall. Rhaid bod y dŵr yn rhewi.' Edrychais ar hyd yr afon i weld a oedd hi gyda rhywun arall, ond doedd dim sôn am neb. Roedd hi ar ei phen ei hun.

Roedd llif mawr yn yr afon ar ôl y glaw trwm. Rhuthrai i lawr o'r llyn yn y cwm fry uwch ein pennau. Roedd eira diwedd mis Mawrth yn dal i lynu wrth gilfachau'r mynydd, ac roedd y llyn a'r afon yn rhynllyd oer.

'Mae hi ar ein hafon ni,' gwgodd Rob.

Llithrodd y ferch ei braich i mewn yn ddyfnach. Cododd y dŵr yn araf dros ei llawes ac i fyny at ei hysgwydd.

'Beth mae hi'n wneud?' meddwn i.

Gollyngodd Euan ei feic ar y llawr. 'Pysgota, siŵr iawn.'

Plygodd y ferch ymlaen yn sydyn nes bod trochion dros bob man. Pan sythodd eto, roedd hi'n cydio mewn brithyll brown anferthol. Roedd e'n gwingo'n wyllt yn ei dwylo gwlyb. Taflodd ei gwallt yn ôl dros ei phen, ac am y tro cyntaf roedd ei hwyneb i'w weld yn glir.

'Dwi'n ei nabod hi,' meddai Rob.

Trois i edrych arno. Roedd ei wyneb yn gas ac yn sarrug.

'Pwy yw hi?' gofynnais.

Ond roedd Rob wedi dod oddi ar ei feic ac yn camu'n fras i lawr glan yr afon tuag ati.

'Rob!' galwais.

Edrychodd y ferch i fyny a'n gweld ni, a cheisiodd guddio'r pysgodyn yn ei breichiau. Rhedais innau ac Euan i lawr at y lan gan ddilyn Rob. Roedd y dŵr yn llifo'n gul ac yn gyflym rhyngon ni a'r ferch.

Gwaeddodd Rob draw arni. 'Iona McNair!'

Cododd y ferch ar ei thraed yn frysiog.

Llamodd Rob draw i'r graig wastad a chydio yn ei braich. 'Lleidr wyt ti, Iona McNair, yn union fel dy fam.'

Gwnaeth y ferch ei gorau i ddal ei gafael yn y pysgodyn llithrig. 'Dwi ddim yn dwyn!' gwaeddodd.

Tynnodd Rob y pysgodyn oddi arni a neidio yn ôl ar lan yr afon. 'Beth yw hwn, 'te?'

Daliodd y pysgodyn yn uchel. 'Afon Callum yw hi, ac rwyt ti'n dwyn.'

Trodd pawb i edrych arna i nawr.

'Beth amdani, Callum?' meddai Rob. 'Beth yw'r gosb am bysgota ar dy fferm di heb ganiatâd?'

Agorais fy ngheg ond ddaeth dim geiriau allan.

''Sdim angen caniatâd arna i,' poerodd Iona. 'Ddefnyddiais i ddim gwialen.'

'Lleidr wyt ti!' gwaeddodd Rob. 'A dy'n ni ddim eisie ti yma.'

Edrychais ar Iona ac edrychodd hithau arna i.

Gollyngodd Rob y pysgodyn gwinglyd ar y llawr a chodi bag plastig oedd wrth ymyl cot Iona ar lan yr afon. 'Beth arall sy gen ti fan hyn?'

'Gad e, fi bia fe!' bloeddiodd Iona.

Arllwysodd Rob bâr o hen esgidiau rhedeg a llyfr nodiadau anniben allan o'r bag. Cododd y llyfr nodiadau oddi ar y llawr a bwrw'r mwd oddi arno.

Neidiodd Iona draw at lan yr afon a cheisio'i gipio oddi wrtho. 'Rho fe'n ôl. Cyfrinach yw hi.' Cnôdd ei gwefus, fel petai wedi dweud gormod.

Roedd ei dwylo'n crynu, a'i breichiau a'i thraed yn las gan oerfel.

'Rho fe'n ôl, Rob,' meddwn.

'Ie,' meddai Euan. 'Dere, Rob, gad i ni fynd.'

'Arhoswch eiliad,' meddai Rob. Dechreuodd fodio drwy'r tudalennau. 'Gadewch i ni weld pa gyfrinach mae hi'n ceisio'i chuddio.'

Ceisiodd Iona gydio yn y llyfr, ond daliodd Rob e allan o'i gafael, gan chwerthin.

'Beth yw dy gyfrinach di, Iona McNair?' gwawdiodd.

Trodd y tudalennau yn y gwynt. Cefais gip ar ddarluniau pensel o anifeiliaid ac adar, a llawer o nodiadau wedi'u sgriblan. Agorodd un dudalen ar lun o'r llyn mewn llwyd a phorffor dwfn.

Neidiodd Iona a rhwygo'r llyfr o'i ddwylo'n wyllt. Llamodd draw i'r graig wastad a dal y llyfr dros y dŵr. 'Ddweda i byth wrthoch chi!' gwaeddodd. 'Byth!'

Camodd Rob tuag ati. 'Dere. Gad i ni weld.'

Roedd wyneb Iona yn ffyrnig ac yn benderfynol.

'Gad lonydd iddi, Rob!' gwaeddais.

Ceisiodd Euan ei dynnu i ffwrdd, ond gwthiodd Rob ef o'r neilltu.

'Beth yw'r gyfrinach fawr, Iona?' gwaeddodd Rob. Plygodd yn sydyn tuag ati.

Llamodd Iona dros y creigiau i lan bellaf yr afon. Roedd hi'n naid amhosib. Llithrodd ar y graig wlyb a chwympo bendramwnwgl i bwll dwfn yn y pen pellaf. Hedfanodd y llyfr nodiadau o'i dwylo a chwyrlïo drwy'r awyr cyn taro'r llif cyflym a diflannu. Sgrialodd Iona allan o'r afon a diflannu i fyny'r bryn serth i goedwig bîn drwchus. Ymchwyddodd yr afon i lawr y cwm rhyngon ni, gan fynd â'r llyfr nodiadau a chyfrinach Iona gyda hi.

Pennod 2

Trodd Euan ar Rob. 'Pam wnest ti hynny? Tri yn erbyn un. Roedd hi ar ei phen ei hun.'

Ciciodd Rob y grug a syllu ar lan bellaf yr afon. 'Fe gollodd Dad ei fusnes oherwydd ei mam hi.' Trodd at Euan, a'i wyneb yn sarrug. 'Fe gymerodd hi bob ceiniog o'i arian a dianc. Fyddai hi byth yn meiddio rhoi ei throed ar dir yr Alban eto.'

'Mae blynyddoedd ers hynny,' meddwn i. 'Beth mae Iona'n ei wneud 'nôl fan hyn nawr?'

'Mae hi'n dwyn dros ei mam, siŵr o fod,' meddai Rob yn swta. 'Ciwed o ladron yw'r teulu McNair. Fydd fy nhad byth yn maddau iddyn nhw am beth wnaeth hi.'

Poerodd Euan ar y llawr a rhythu'n gas ar Rob. 'Beth wnei di â'r pysgodyn 'na?'

Cododd Rob y brithyll. Roedd e wedi marw. Doedd ei gorff ddim yn loyw bellach ac roedd ei lygaid yn bŵl fel gwydr budr. Trodd ata i a'i wthio i boced ddofn fy nghot. 'Dy afon di yw hi, felly dy bysgodyn di yw e.'

'Dwi ddim eisie fe,' meddwn.

Ond dim ond gwgu arna i wnaeth Rob a chamu'n fras at y beics.

'Mae hi wedi gadael ei chot a'i threinyrs,' meddwn i wrth Euan.

'Mae'n well i ni eu gadael nhw,' meddai, gan ddilyn Rob. 'Fe welith hi nhw ar ei ffordd 'nôl.'

I ffwrdd ag Euan ar ei feic y tu ôl i Rob, a gwyliais i nhw'n llithro i lawr y llwybr mwdlyd, anwastad.

Codais fy nghwfl, clipio fy helmed feicio drosto, a gwthio fy nwylo i mewn i fy menig. Edrychais i fyny ac i lawr glan bellaf yr afon i weld a allwn gael cip ar y ferch. Gwelais hi'n uwch i fyny'r cwm. Roedd hi'n edrych yn fach yn y pellter ac yn mynd tuag at y llyn. Roedd gwynt oer yn chwythu drwy'r coed. Gallwn deimlo glaw ar y ffordd. I ffwrdd â mi ar y beic a dilyn Rob ac Euan i lawr y llwybr serth ar hyd yr afon, ond drwy'r amser allwn i ddim peidio â meddwl y dylen ni fod yn aros amdani.

Roedd Euan a Rob yn disgwyl amdanaf wrth yr hen chwarel.

Daliodd Euan y glwyd i'r llwybr oedd yn arwain i'r pentref yn y cwm islaw ar agor. 'Wyt ti'n dod gyda ni?' meddai.

Ysgydwais fy mhen. 'Fe af i adre dros y caeau o fan hyn. Mae'n gynt.'

Gwyliais nhw'n diflannu i lawr y llwybr tuag at y goleuadau stryd oedd yn tywynnu'n bŵl yn y pellter. Roedd hi'n nosi'n gyflym. Byddai'n dywyll cyn hir.

Dechreuodd y glaw ddisgyn, yn oer ac yn finiog, fel nodwyddau o iâ. Edrychais am yn ôl gan obeithio gweld Iona, ond doedd dim golwg ohoni yn unman. Doedd dim cot nac esgidiau ganddi, ac roedd ei dillad yn wlyb domen ar ôl bod yn yr afon. Byddai'n rhewi'n gorn petai'n aros i fyny fan hyn. Roedd pobl yn marw yn y mynyddoedd bob blwyddyn, yn cael eu dal gan y tywydd, heb baratoi.

Trois fy meic a mynd yn ôl y ffordd roeddwn i wedi dod ar ei hyd i chwilio amdani. Roedd nentydd o ddŵr yn rhedeg drwy'r hafnau dwfn. Codais got ac esgidiau rhedeg Iona ar y ffordd ac aros ar ben y llwybr i gael fy ngwynt ataf. Roedd y glaw yn cuddio glannau coediog y llyn. Gallai Iona fod yn unrhyw le.

Dilynais y llwybr o gwmpas i ben pellaf y llyn, gan alw ei henw. Roedd y cymylau'n isel ac yn drwm ac roedd tonnau tywyll yn taro'n swnllyd yn erbyn y creigiau.

'Iona!' gwaeddais, ond cipiodd y gwynt fy llais.

Efallai fy mod i wedi mynd heibio iddi. Efallai ei bod hi ar ei ffordd yn ôl i'r pentref yn barod. Allwn i ddim aros i fyny fan hyn drwy'r nos.

Trois fy meic o gwmpas i fynd am adref ond llithrodd y teiar ar graig. Edrychais i lawr a gweld ôl troed noeth yn y mwd wrth ymyl y graig. Roedd y glaw wedi cronni yn y sawdl a'r bysedd traed yn barod.

Roedd Iona wedi dod y ffordd yma.

Neidiais oddi ar y beic a dilyn yr olion traed. Diflannon nhw ychydig o ffordd ar hyd y llwybr. Dyfalais fod Iona wedi gadael y llwybr a mynd i mewn i'r goedwig. Roedd mwsogl a nodwyddau pîn yn gorchuddio'r ddaear.

'Iona!' galwais. 'Mae dy got di gen i.'

Cerddais yn bellach i mewn i'r goedwig. Roedd hi'n dywyll o dan y gorchudd o goed – bron yn rhy dywyll i weld. Gwyddwn y byddai Mam a Dad yn poeni ble roeddwn i.

'Iona!' galwais eto. Ond doedd dim ateb.

Trois i fynd yn ôl at fy meic, a neidio. Roedd Iona'n sefyll yn union o'm blaen. Roedd hi'n gwisgo siwmper enfawr, trowsus rhedeg a het wlân oedd yn dod dros ei chlustiau. Ond roedd hi'n dal yn droednoeth ac yn crynu gan oerfel.

'Mae dy got a dy dreinyrs gen i,' meddwn i. Gwthiais nhw i'w dwylo. 'Gwisga nhw a cher adre. Fe fydd hi'n dywyll cyn bo hir.' Edrychais o gwmpas ond allwn i ddim gweld ble roedd hi wedi cael ei dillad sych.

Tynnodd Iona ei chot amdani, eistedd ar graig a gwthio'i thraed i mewn i'w hesgidiau rhedeg. Roedd ei dwylo'n crynu a'i bysedd yn las. Byseddodd y lasys yn drwsgl.

Penliniais a'u clymu nhw drosti.

Rhythodd arna i wrth i mi godi. 'Allwch chi ddim fy rhwystro i rhag dod yma.'

'Fe glywaist ti beth ddwedodd Rob,' meddwn i. 'Dy'n ni ddim dy eisie di. Ry'n ni'n gwybod dy fod ti yma nawr. Fe ddown ni o hyd i ti.'

'Mae'n rhaid i fi ddod 'nôl,' meddai. Llithrodd y geiriau allan; prin roedd hi'n sibrwd.

Ysgydwais fy mhen.

'Do'n i ddim yn dwyn,' meddai, a'i dannedd yn clecian. '*Doedd* dim gwialen gen i.'

Rhoddais fy llaw ym mhoced fy nghot. 'Cymer y pysgodyn a mynd o 'ma,' meddwn i. Taflais ef ar y llawr wrth ei hymyl. Rholiodd yn y baw, gan ddod i stop wrth ei thraed.

Edrychodd Iona arna i a gwneud patrymau troellog â'i bysedd yn y nodwyddau pîn ar y ddaear. Cylchoedd, rownd a rownd a rownd. 'Os ca i ddod 'nôl, fe ddweda i'r gyfrinach wrthot ti,' meddai.

Syllais arni.

Cododd ar ei thraed a'm hwynebu. 'Fan hyn ma' hi, ar dy fferm di.'

'Dwi'n gwybod am bopeth sy ar y fferm hon,' meddwn i.

Ysgydwodd Iona ei phen. 'Dwyt ti ddim. Dwyt ti ddim yn gwybod unrhyw beth amdani. Does neb yn gwybod.'

'Sut alli di fod mor siŵr?' gofynnais.

Rhythodd arna i. 'Dwi'n gwybod, dyna i gyd.'

Sut gallai hi wybod rhywbeth am fy fferm i nad oeddwn i'n ei wybod? Efallai bod ei thad-cu hi'n gwybod rhywbeth. Roedd Mr McNair mewn gwth o oedran. Roedd e'n arfer ffermio'r tir oedd yn ffinio â ni cyn symud i'r pentref. Ond roedd hynny flynyddoedd yn ôl, cyn i mi gael fy ngeni hyd yn oed.

'Beth yw'r gyfrinach, 'te?' gofynnais.

'Os dweda i wrthot ti,' sibrydodd, 'rhaid i ti beidio â dweud wrth neb am y peth, ddim wrth dy ffrindie, ddim wrth neb.'

Dyma ni'n sefyll, gan syllu ar ein gilydd yn y gwyll. Roedd y gwynt yn rhuthro drwy ganghennau'r coed pîn uwch ein pennau, ac roedd dafnau o law yn diferu o'r coed ac yn creu patrymau ar lawr y goedwig.

'O'r gorau,' meddwn i.

'Ac fe ga i ddod 'nôl i dy fferm di?' Poerodd Iona ar gledr ei llaw a'i hestyn.

Tynnais fy maneg, poeri ar fy llaw ac ysgwyd ei llaw hithau. 'Bargen.'

Gwthiodd ei gwallt trwchus o'i llygaid. 'Bore fory, 'te,' meddai. 'Dere i gwrdd â fi fan hyn, wrth y llyn.'

Cododd y pysgodyn, cerdded drwy'r coed tywyll, a diflannu.

Pennod 3

Roedd hi'n dywyll wrth i mi seiclo drwy'r caeau at y ffermdy, ac er bod y glaw wedi peidio, roeddwn i'n wlyb domen. Roedd y teiars yn sugno'r mwd gludiog ac yn llithro drwyddo gan wneud seiclo'n waith caled. Roedd y goleuadau ynghyn yn y gegin, a gallwn weld Mam yn siarad ar y ffôn. Gwthiais fy meic heibio i'r sied wyna a chicio'r glwyd i'r buarth ar agor.

Agorodd drws y sied wyna led y pen a daeth Dad i'r golwg yn y drws.

'Callum, ti sy 'na?'

'Ie, Dad.'

'Ble wyt ti wedi bod?' meddai. 'Fe ddylet ti fod wedi bod 'nôl ers oriau.'

'Cadwyn y beic ddaeth yn rhydd,' meddwn i'n gelwyddog. 'Sorri.'

'Cer i ddweud hynny wrth dy fam,' meddai Dad. 'Mae hi wedi ffonio hanner y pentre yn ceisio dod o hyd i ti. Mae hi wedi anfon Graham allan i chwilio amdanat ti ac mae e'n benwan. Mae e i fod i fynd i weld band heno. Byddai'n well i fi anfon tecst ato fe.'

Pwysais fy meic yn erbyn y wal, cicio fy esgidiau i ffwrdd a llithro i mewn i'r gegin. Gadewais olion traed mawr gwlyb ar draws y llawr cerrig.

'Dyna olwg sy arnat ti,' meddai Mam. 'Ro'n i ar bigau'r drain. Ro't ti fod i ddod 'nôl cyn iddi dywyllu. Fe ddwedodd Rob ac Euan eich bod chi wedi bod lan wrth yr afon. Mae Graham yno nawr, yn chwilio amdanat ti.'

'Mae Dad wedi'i decstio fe,' meddwn.

'Cer i newid i ddillad sych a bwyta dy swper,' meddai Mam. 'Fe fyddwn i'n osgoi Graham, 'tasen i'n dy le di.'

Es i fyny'r grisiau i'm hystafell a thynnu fy nillad gwlyb oddi amdanaf. Roedd fy mysedd yn dalpiau oer. Gwisgais siwmper a chnu, combats trwchus a dau bâr o sanau, ond roeddwn i'n dal i deimlo'n rhewllyd. Meddyliais am Iona. Ble bynnag roedd hi'n aros, roeddwn i'n gobeithio ei bod hi wedi cyrraedd yno erbyn hyn. Beth os nad oedd hi? Gwyddwn lle roedd ei thad-cu'n byw ar gyrion y pentref, ond hen ddyn gwyllt oedd Mr McNair. Doeddwn i ddim eisiau mynd yno.

Es yn ôl i lawr i'r gegin ac eistedd wrth y ford. Roedd Dad yno hefyd, yn mwynhau pastai gig a sglodion.

Caeodd y drws yn glep a cherddodd Graham heibio. Edrychodd e ddim arnaf, hyd yn oed.

Estynnodd Mam blatiaid o fwyd i mi. Roeddwn i'n llwgu.

Daeth sŵn esgidiau trwm ar y llwybr y tu allan, a churo mawr ar y drws.

'Dere i mewn, Flint,' galwodd Mam.

Dyma Flint, cefnder hŷn Rob, yn dod drwy'r drws yn ei ddillad beicio lledr, a'i helmed yn ei law. Nos Wener. Roedd e a Graham yn mynd i weld band yn y dref.

'Fydd Graham ddim yn hir,' meddai Mam. 'Hoffet ti ddarn o bastai, Flint?'

Gwenodd Flint. 'Fyddwn i byth yn gwrthod darn o'ch pei chi, Mrs McGregor. Ry'ch chi'n fy nabod i.'

Eisteddodd wrth y ford, pwyso tuag ataf a sibrwd, 'Dwi'n clywed dy fod ti mewn helynt, fachgen.'

Rhoddais sglodyn arall ar fy fforc.

'Os yw o unrhyw gysur i ti,' aeth Flint yn ei flaen, fel y gallai Mam a Dad glywed, 'rhoddodd Anti Sal lond pen i Rob pan gyrhaeddodd e adre. Roedd e'n wlyb diferol. Fe aeth e i'w wely heb swper.'

Gorffennais y bastai. Oedd Rob wedi dweud wrth ei fam am Iona? Mae'n debyg nad oedd e.

Ceisiais newid y pwnc.

'Mae ein teulu ni wedi ffermio'r tir yma ers dros gan mlynedd, on'd y'n ni?' meddwn i.

Cododd Dad ei ben. 'Rhywbeth tebyg,' meddai. 'Pam?'

'Oes cyfrinachau yma?'

'Cyfrinachau?' meddai Dad. 'Pa fath o gyfrinachau?'

Yr eiliad honno cerddodd Graham i mewn i'r ystafell. Roedd wedi cael cawod ac wedi newid i'w ddillad beicio lledr. Roedd arogl siampŵ a phersawr eillio arno. 'Dim ond un gyfrinach dwi'n gwybod amdani,' meddai, gan rythu arnaf. 'Sef hon: y bedd bas y bydda i'n ei balu i ti os byddi di *byth* yn gwneud i mi fod yn hwyr eto.'

'Graham!' meddai Mam. Ond roedd Graham eisoes ar ei ffordd allan drwy'r drws.

'Diolch, Mrs McGregor,' meddai Flint gan ddilyn Graham allan i'r buarth.

Rhuodd eu beiciau modur a gwyliais eu goleuadau mawr yn igamogamu i lawr lôn y fferm.

'Alla i ddim meddwl am unrhyw gyfrinachau,' meddai Dad. 'Pam wyt ti'n gofyn?'

Codais fy ysgwyddau. ''Sdim ots,' meddwn i. Ond yn ddwfn yn fy nghalon, allwn i ddim peidio â theimlo bod rhywbeth nad oedd yr un ohonon ni'n gwybod amdano, cyfrinach oedd wedi'i chuddio rywle ym mryniau a chymoedd ein fferm.

A fory, roeddwn i'n mynd i gael gwybod beth oedd hi.

Pennod 4

Eisteddais i gael brecwast y bore canlynol a'm siaced drwchus a rycsac wrth fy ochr.

'Ble wyt ti'n mynd, 'te?' gofynnodd Mam.

'Mas,' meddwn i.

Cododd ei haeliau. 'Dwi ddim yn meddwl 'ny. Ddim ar ôl neithiwr.'

'Ond Mam...'

'Ry'n ni'n mynd i'r dre bore 'ma,' meddai Mam, gan arllwys te. 'Mae Dad eisie codi bwyd i'r defaid ac mae'n rhaid i fi wneud rhywfaint o siopa.'

'Fe arhosa i yma,' meddwn. 'Mae Graham gartre.'

'Mae e'n dal yn ei wely,' meddai Mam. 'Rwyt ti'n dod gyda ni.'

Trawais fy llwy yn drwm yn fy mowlen. 'Dyw hynny ddim yn deg.'

Edrychodd Dad arna i dros ben ei bapur newydd ac ochneidio. 'Mae angen rhywun i ofalu am y ddau oen swci 'na. Doedd dim diddordeb gan y famog faeth ynddyn nhw neithiwr. Fe fydd yn rhaid i ni eu bwydo nhw â photel tan i ni ddod o hyd i famog arall.'

'Wna i hynny,' cynigiais. 'Dwi ddim eisie mynd i'r dre.'

Rhythodd Mam ar Dad ac yna trodd ata i. 'O wel, dim ond mynd o dan fy nhraed i fyddet ti, sbo. Fe gei di aros, ond i ti addo y byddi di'n aros wrth y tŷ.'

'Dwi'n addo,' meddwn i. Ond o dan y bwrdd, roeddwn i'n croesi fy mysedd.

Sefais wrth y sinc a chymysgu powdr llaeth i'r ŵyn i jwg o ddŵr cynnes gan wylio Mam a Dad yn gyrru i lawr y lôn. Arllwysais y llaeth i ddwy botel lân a'u gwthio o dan fy siaced, yna cydiais yn fy rycsac a mynd am y sied wyna. Roedd y ddau oen yn brefu'n llwglyd pan es i mewn, a chyn pen dim roedden nhw wedi gorffen y llaeth ac yn dechrau sugno ymylon fy siaced. Clywais y tractor yn cael ei yrru i'r buarth y tu allan. Petai Graham yn fy ngweld, byddai'n rhaid i mi ei helpu drwy'r dydd. Felly gadewais y poteli mewn bwced wrth y drws a llithro allan drwy baneli oedd wedi torri yng nghefn y sied.

Roedd yr aer yn glir ac yn llym. Roedd hi wedi bwrw'n drwm dros nos ac roedd pyllau'n disgleirio yn yr heulwen lachar. I ffwrdd â mi dros ael y bryn at y llyn yn y cwm nesaf.

Roedd Iona'n disgwyl amdana i.

'Fe ddest ti, 'te,' meddai.

Roedden ni'n sefyll wrth y man lle roeddwn i wedi dilyn olion ei thraed i'r goedwig.

Nodiais. 'Beth yw'r gyfrinach, 'te?'

'Fe gei di weld,' meddai Iona.

'Mae'n well iddi fod yn un dda,' meddwn i.

Trodd ar ei sawdl a mynd i mewn i'r goedwig.

Ar ôl y pinwydd, daeth coed deri a bedw a cheirios gwyllt. Roeddwn i'n meddwl fy mod i'n adnabod pob modfedd o'r fferm hon. Roeddwn i wedi cael fy magu yma. Roeddwn i wedi adeiladu cuddfannau gyda Rob ac Euan dros bob man. Ond roedd y llwybr hwn drwy'r coed yn edrych yn wahanol.

Arhosodd Iona ar ymyl llannerch. Roedd cylch o feini mawr yn sefyll yn yr heulwen. Pwysais yn erbyn un a thynnu mwsogl llaith oddi arno â'm bysedd. Roedd y maen oddi tano'n llachar yn heulwen y gwanwyn. Dychmygwn fod hwn wedi bod yn fan cyfarfod i hen Frenhinoedd yr Alban.

Rhoddodd Iona ei bys ar ei gwefusau i mi fod yn dawel. 'Meini'r tylwyth teg,' sibrydodd.

'Meini'r tylwyth teg!' meddwn i'n ddirmygus. 'Rwyt ti wedi fy llusgo i'r holl ffordd i weld meini'r tylwyth teg?'

Chwarddodd Iona. 'Hisht! Dwyt ti ddim yn credu mewn tylwyth teg, Callum?'

Gwgais arni. 'Dwi'n mynd adre.'

Pwysodd Iona yn erbyn boncyff coeden. Roedd hi'n edrych fel petai hi'n ceisio peidio â chwerthin. Trawodd ei bysedd ar y rhisgl. 'Wyt ti'n gallu dringo?' gofynnodd.

Edrychais i fyny i mewn i'r goeden. Hen goeden dderw oedd hi oedd wedi cael ei tharo gan fellten rai blynyddoedd ynghynt. Roedd y boncyff wedi'i hollti ac edrychai fel craith gas yn erbyn yr awyr. Roedd y canghennau isaf y tu hwnt i gyrraedd ac roedd y rhisgl yn llaith a mwsogl drosto i gyd.

'Dringo honna?' meddwn i'n swta. 'Wrth gwrs y galla i.'

Ciciodd Iona ei threinyrs oddi ar ei thraed a llithro'i bysedd a bysedd ei thraed i'r craciau bach yn y rhisgl. Mewn dim o dro roedd hi wedi'i thynnu ei hun i fyny i fforch yn y canghennau uwchben.

'Wel, wyt ti'n dod?'

Ceisiais gydio yn y boncyff a cheisio gwthio fy nhraed i mewn i hafnau cul y rhisgl, ond llithrodd fy nhraed a'm dwylo bob tro. Edrychais i fyny, ond roedd Iona wedi diflannu'n uwch i fyny'r goeden.

'Iona!' galwais. Cwympodd pen rhaff drwchus wrth fy nhraed. Tynnais fy hunan i fyny i'r goeden a dringo'n uwch i lwyfan naturiol o ganghennau. Roedd hi fel caer gudd. Roedd hi'n amhosib ei gweld hi o lawr y goedwig.

Roedd Iona wedi gwneud seddi o hen gratiau ac roedd tuniau a blychau a hen lamp yn gorffwyso ar y goeden. Oddi yno gallwn weld ar draws dyfroedd cul y llyn i'r mynyddoedd a'r awyr las eang y tu hwnt iddo.

'Mae'n wych,' meddwn. 'Gwych.'

'Hisht, mae'n rhaid i ti fod yn dawel,' meddai. Tynnodd fag cynfas allan o'r boncyff cau ac arllwys blanced, hen gas lledr, a phecyn o fisgedi ohono.

'Dwi'n addo na fydda i'n sôn wrth neb am hyn,' sibrydais.

Taflodd Iona fisged ataf a cheisio peidio â chwerthin. 'Nid hon yw'r gyfrinach, y twpsyn. Mae'n well na hynny, miliwn gwaith gwell.'

Stwffiais y fisged i 'ngheg. 'Beth yw'r gyfrinach, 'te?'

Pwyntiodd hi at glwstwr o binwydd ar yr ynys oedd yn agos i lan y llyn. Roedd canghennau o nodwyddau pîn gwyrdd trwchus yn goron ar y boncyffion tal, noeth. O'n llwyfan ni o gratiau, roedden ni'r un uchder â brig y coed.

'Beth sy mor arbennig?' meddwn i.

'Agor dy lygaid, Callum,' meddai Iona. 'Edrych!'

Allwn i dal ddim gweld at beth roedd hi'n pwyntio. Roedd pentwr o frigau ar y canghennau uchaf, fel broc môr ar ôl llanw uchel.

Ond roedd rhywbeth yn symud y tu mewn. Roedd rhywbeth yn tynnu'r brigau i'w lle. Nid pentwr o frigau a changhennau ar hap oedd hwn. Roedd rhywbeth yn ei adeiladu.

Ac yna, dyma fi'n ei weld.

Gwelais gyfrinach ein cwm ni. Doedd neb arall yn gwybod amdani. Nid Mam na Dad, na Graham, na Rob, nac Euan.

Dim ond fi, a Iona.

'Mae'n anhygoel, on'd yw e?' sibrydodd Iona.

Nodiais.

Roeddwn i'n hollol syfrdan.

Pennod 5

Iddechrau, y cyfan y gallwn ei weld oedd pen aderyn uwchben y pentwr o frigau, pen lliw hufen a stribed frown dros y llygad. Yna, dyma weddill yr aderyn yn ymddangos. Roedd e'n enfawr, gydag adenydd brown tywyll a bol gwyn. Roedd blas y cynfyd arno, fel bwystfil o fyd coll, yn rhy fawr i'r tirlun hwn.

'Gwalch y pysgod,' sibrydais. Prin roeddwn i'n gallu credu'r peth. 'Mae gwalch y pysgod gyda ni, fan hyn, ar ein fferm ni.'

'Ddwedi di ddim wrth neb?' meddai Iona.

'Wrth gwrs na wna i,' meddwn i. Roeddwn i wedi gweld ffotograffau o weilch o'r blaen, ac roeddwn i wedi gweld y goeden lle roedd dau walch yn nythu yn y warchodfa natur gerllaw wrth helpu Dad i godi ffensys a chuddfannau gwylio adar. Roedd weiren bigog a chamerâu cylch cyfyng ar y goeden nythu yn y warchodfa natur i atal pobl rhag dwyn yr wyau.

'Maen nhw'n brin,' meddwn i. 'Maen nhw wedi'u gwarchod.'

'Ro'n i'n gwybod y gallwn i dy drystio di,' meddai Iona. Gwacaodd y pecyn bisgedi. Dim ond un fisged oedd ar ôl. Torrodd hi'n ddwy a rhoi'r hanner mwyaf i mi.

'Dwi wedi'i wylio fe'n adeiladu'r nyth 'na o'r dechre'n deg,' meddai Iona.

'Pam wyt ti'n meddwl mai "fe" yw e?' meddwn i.

Tynnodd Iona lyfr adar allan o'r cas lledr a dangos y llun i mi. 'Mae mwy o farciau brown ar frest yr adar benyw,' meddai. 'Ac mae e'n troelli fry yn yr awyr o hyd ac yn galw. Mae e'n chwilio am gymar. Dwi wedi bod yn ei wylio fe drwy'r wythnos.'

'Wyt ti'n byw lan fan hyn, 'te?' meddwn i.

Chwarddodd Iona ac ysgwyd ei phen. 'Nac ydw. Fe hoffwn i, cofia. Dwi'n aros gyda fy nhad-cu, am y tro.'

'Beth am dy fam?' meddwn i. 'Ydy hi yma hefyd?'

Gwgodd Iona. 'Mae Mam yn gweithio.' Pigodd nodwyddau pîn o'i siwmper a'u taflu i'r awyr. 'Dawnswraig yw hi, wyddost ti,' meddai. 'Dawnswraig yw Mam.' Tynnodd loced fechan aur ar gadwyn allan o dan ei chrys a'i hagor. 'Dyna hi.'

Ar un ochr roedd llun o Iona, ac ar y llall, llun o wyneb menyw ifanc. Roedd ganddi wallt coch tanllyd a llygaid tywyll fel rhai Iona.

'Mae hi'n gweithio yn y sioeau mawr yn Llundain,' meddai Iona. 'Mae hi'n rhy brysur i ddod lan fan hyn. Mae hi wir yn enwog.'

'Dwi erioed wedi clywed amdani,' meddwn.

Gwgodd Iona a stwffio'r loced yn ôl o dan ei chrys. 'Beth wyt ti'n gwybod?'

Edrychais i fyny ar y gwalch eto. Roedd e'n sefyll ar y nyth ac yn syllu i fyny ar yr awyr. Roedd e'n galw'n uchel, 'Cîî... cîî... cîî...'

'Ydy e wedi gorffen y nyth?' gofynnais.

'Dwi ddim yn meddwl 'ny,' meddai Iona. 'Mae'n tyfu'n fwy ac yn fwy o hyd. Newydd gyrraedd yma mae e. Mae gweilch yn mynd i Affrica dros y gaea.'

'Dwi'n gwybod hynny,' meddwn i. 'Nid ti yw'r unig un sy'n gwybod y pethau 'ma.'

Cerddodd y gwalch o gwmpas ei nyth a galw unwaith eto. Yna agorodd ei adenydd enfawr a chodi fry i'r awyr. Hedfanodd dros y coed y tu ôl i ni, gan ddangos y stribedi brown o dan ei adenydd a'i fol gwyn.

'Wedi mynd i bysgota mae e, siŵr o fod,' meddai Iona. 'Gallai fod oesoedd cyn iddo fe ddod 'nôl.'

'Mae'n rhaid i fi fynd,' meddwn. Cofiais am yr ŵyn swci. Byddai angen eu bwydo nhw eto cyn hir.

'Dw innau'n mynd 'nôl hefyd,' meddai Iona.

Helpais hi i stwffio'r bag i'r boncyff cau a llithrais i lawr i'r ddaear at ei hymyl. Cerddon ni ar hyd y llwybr wrth yr afon. Roedd yr aer yn gynnes nawr, ac roedd tawch yn codi o'r ddaear laith.

'Sut oedd y pysgodyn?' gofynnais.

Gwenodd Iona'n ddireidus. 'Blasus iawn.'

'Sut wyt ti'n ei wneud e?' meddwn i. 'Sut wyt ti'n ei ddal e yn dy ddwylo?'

Gwenodd Iona eto. 'Dere, fe ddangosa i i ti.'

Dilynais hi at lan yr afon lle roedd dŵr yn llifo'n gyflym i bwll llonydd. 'Beth weli di?' meddai hi.

Gorweddais ar y borfa feddal ac edrych ar ddŵr yr afon. Roedd adlewyrchiad y cymylau a'r heulwen i'w weld. 'Dim byd,' meddwn i.

'Dwyt ti ddim yn edrych yn iawn,' meddai Iona. 'Edrych yn bellach i mewn.'

Syllais ar y dŵr. Roedd patrymau o gymylau'n hofran ar ei draws. Ceisiais edrych y tu hwnt i'r arwyneb gloyw i'r cysgodion tywyll oddi tano. Roedd y creigiau'n ymdoddi i wely brown yr afon ac roedd popeth yn symud i gyd. Brwyn, mwd, a dail. A dau bysgodyn. Dau frithyll, yn wynebu'r llif, a smotiau gwyrdd dros eu cyrff. Roedden nhw'n hollol lonydd heblaw am eu cynffonnau'n curo.

'Weli di nhw?' sibrydodd Iona.

Nodiais.

'Nawr rhed dy law yn araf i'r dŵr y tu ôl iddyn nhw.'

Llithrais fy llaw i mewn i'r afon. Yn agosach o hyd, fel bod fy llaw fodfeddi o'u cynffonnau nhw.

'Rhed dy law oddi tanyn nhw a cheisio rhedeg dy fys y tu ôl i'w tagellau nhw,' meddai Iona.

Estynnais, ac am eiliad teimlais gorff llithrig pysgodyn yn erbyn fy llaw cyn i'r ddau ohonyn nhw saethu lawr i'r dŵr dwfn a diflannu.

Chwarddodd Iona. 'Fe gymerodd hi oesoedd i mi yn y dechre,' meddai. 'Fe ddangosodd Tad-cu i mi un haf pan o'n i'n fach.'

Syllais yn ddwfn i'r dŵr, gan obeithio gweld y pysgod yn dod yn ôl.

'Mae pobol fel afonydd,' meddai Iona. 'Dyna dwi'n feddwl.'

Codais ar fy eistedd a gwasgu'r dŵr o'm llawes. 'Beth wyt ti'n ei feddwl?'

Eisteddodd Iona'n ôl ar ei sodlau ac edrych yn syth arnaf. 'Mae'n rhaid i ti ddysgu edrych o dan yr wyneb, i weld beth sy'n gorwedd yn ddyfnach.'

Stwffiais fy nwylo i 'mhocedi. Roedden nhw'n rhewi ar ôl bod yn y dŵr rhewllyd. 'Mae'n rhaid i fi fynd nawr.'

'Gaf i ddod 'nôl 'te?' meddai Iona. 'Ar dy fferm di?'

Nodiais. 'Fe drawon ni fargen, on'd do?'

Cododd Iona ar ei thraed a gwenu. 'Fe ddaw'r aderyn benyw brynhawn fory,' meddai. 'Mae tywydd braf ar y ffordd. 'Fe fydd hi yma, dwi'n siŵr.'

Chwarddais. 'O, wir? Ti'n gwybod, wyt ti?'

Trodd Iona ei chefn arnaf. 'Dere i gwrdd â fi ar y bryn brynhawn fory os nad wyt ti'n fy nghredu i. Dwi'n mynd i aros amdani.'

Edrychais i fyny ar y bryn uwch ein pennau, a grug drosto i gyd. Gallwn weld amlinell y garnedd ar y copa, y man uchaf ar y fferm. Byddai hynny'n berffaith. Roeddwn i eisiau gweld gwalch y pysgod yn dychwelyd i'r Alban. Roeddwn i eisiau ei weld â'm llygaid fy hun. Byddai hi'n anhygoel petai gweilch yn nythu yma, ar ein fferm ni.

'O'r gore, Iona,' meddwn i. 'Dyna wnawn ni.'

PENNOD 6

'Fe wnest ti waith da gyda'r ŵyn 'na ddoe,' meddai Dad. 'Falle mai ffermwr fyddi di eto.'

Roeddwn i'n eistedd yng nghefn y car y tu ôl i Mam a Dad ar y ffordd i'r eglwys.

'Oes rhaid i fi fynd i'r eglwys?' gofynnais. 'Dyw Graham ddim yn mynd.'

'Mae e'n ddeunaw,' meddai Mam. 'Mae e'n cael penderfynu drosto'i hun.'

'Dyw Rob ddim yn mynd, nac Euan.'

Trodd Mam i edrych arnaf. 'Er mwyn popeth, Callum, wnei di roi'r gorau i gwyno. Dim ond awr yw'r gwasanaeth. Fydd e ddim yn dy ladd di.'

Gallwn weld cornel llygad Dad yn crychu yn y drych. Roedd e'n chwerthin am fy mhen. Symudais i lawr yn fy sedd a gwthio fy mhengliniau i mewn i gefn ei sedd yntau.

'Be sy ar y gweill gen ti heddi?' meddai Dad.

'Chware pêl-droed,' meddwn i, 'gyda Rob ac Euan a'r lleill o'r ysgol.' Roedd hyn yn wir; roedden ni wedi dweud y bydden ni'n cwrdd brynhawn dydd Sul a chicio pêl o gwmpas yn y cae chwarae. Ond roeddwn i'n meddwl am Iona o hyd, ac am wylio gwalch y pysgod yn dychwelyd. Roeddwn i eisiau mynd yn ôl i fyny at y llyn. Byddai'n rhaid i mi ddweud wrth Rob ac Euan fy mod i'n helpu Dad ar y fferm.

'Gwna'n siŵr dy fod ti'n dod adre i gael swper, dyna i gyd,' meddai Mam.

Roedd Iona'n sefyll ar y garnedd yn barod pan gyrhaeddais gopa'r bryn. Gorweddais yn y grug i gael fy ngwynt ataf. Doedd dim cwmwl yn yr awyr. Roedd y llyn yn llonydd, fel drych, yn adlewyrchu'r awyr las, las. Edrychais ar y nyth yn y binwydden drwy fy minocwlars. Roedd y gwalch yn tynnu rhagor o frigau i'w lle.

'Cymer y rhain,' meddwn. 'Wyt ti eisie gweld?'

Cododd Iona'r binocwlars i'w llygaid, a dangosais iddi sut i'w ffocysu. 'Mae'n wych,' meddai. 'Mae e'n edrych mor agos. Ac edrych ar ei big e. Mae'n big ffyrnig iawn. Edrych pa mor finiog yw e.'

Gadewais i Iona ddefnyddio'r binocwlars ac edrychais innau tua'r de. Roedd olion awyrennau blith draphlith yn yr awyr ac roedd haid o wyddau'n hedfan ar ffurf V yn y pellter, ond fel arall roedd y gorwel yn wag. Pwysais yn ôl i'r grug meddal, allan o'r awel groes. Roedd yr haul yn gynnes ar fy wyneb, a theimlais fy amrannau'n cau.

Pan ddeffrais roeddwn i'n rhynnu. Roedd Iona'n dal i eistedd ar y garnedd ac yn edrych ar yr awyr. Roedd cysgodion wedi cropian ar draws y cwm islaw, ac edrychais ar fy wats.

'Ry'n ni wedi bod yma ers dwy awr nawr,' meddwn wrth Iona. 'Dyw'r gwalch arall ddim yn dod.'

Rhythodd hi arnaf yn gas. 'Fydd hi ddim yn hir nawr.'

Tynnais y blodau bach oddi ar sbrigyn o rug a gwylio'r darnau mân yn chwalu yn yr awel. Taflais y coesyn noeth ati. 'Ro'n i'n gwybod y dylwn i fod wedi mynd i chwarae pêl-droed.'

Trodd Iona ei chefn arnaf. 'Doedd dim rhaid i ti ddod.'

'Dwi'n colli gêm dda,' meddwn i.

'O fan acw fydd hi'n dod,' meddai Iona. Pwyntiodd dros ddyfroedd disglair y llyn i'r bryniau grug a'r mynyddoedd porffor y tu hwnt iddyn nhw.

'Sut wyt ti'n *gwybod*?' meddwn i.

Cododd ar ei thraed ac agor ei breichiau fel adenydd. 'Dwi'n gwybod. Dwi'n gallu teimlo'r peth. Mae'n rhaid i ti ddychmygu mai aderyn wyt ti er mwyn teimlo'r peth.'

'Dwi ddim yn mynd i agor a chau fy mreichiau a rhedeg dros y bryniau, os mai dyna wyt ti'n feddwl.'

Cododd Iona ei hysgwyddau. Dawnsiai ei gwallt anniben yn y gwynt.

'Clepia di dy freichiau faint fynni di,' meddwn i. 'Dwi'n mynd.' Ysgydwais y darnau o rug oddi ar fy siwmper a chychwyn i lawr y bryn gan gicio twmpathau o wair sych. Trois yn ôl i edrych arni, ond dim ond sefyll wnaeth hi, ei breichiau ar led a'i llygaid ar gau. Roedd y gwynt yn crychu ei chot a'i jîns. Roedd hi'n edrych fel petai'n hedfan yn erbyn yr awyr las glir.

'Wyt ti'n meddwl ei bod hi'n dod, go iawn?' gofynnais.

'Dwi'n gwybod ei bod hi. Fe ddylet ti wneud hyn hefyd, Callum.'

Gwgais arni.

'Does neb yn gallu dy weld di lan fan hyn,' meddai, gan godi ei breichiau'n uwch.

'Gorau i gyd,' meddwn i. Estynnais fy mreichiau a throi i wynebu'r gwynt. Roeddwn i eisiau credu Iona. Roeddwn i eisiau gweld gwalch yn dychwelyd.

'Mae'n rhaid i ti gau dy lygaid,' gwaeddodd Iona. 'Tro'n aderyn. Teimla'r gwynt, Callum. Gad iddo dy gario di.'

Caeais fy llygaid a cheisio anghofio fy mod i'n sefyll ar fryn yn edrych fel bwgan brain gwallgof. Dim ond hisian tawel y gwynt yn rhuthro drwy'r grug sych oedd i'w glywed. Roedd yn llifo drosof i, ac yn tynnu wrth lewys fy siwmper. Pwysais i mewn i'r gwynt, gan adael iddo redeg drwy flaenau fy mysedd. Agorais fy nwylo, fel plu. Ceisiais ddychmygu fy mod yn aderyn, ysgafn, yn cael fy nghario fry, fry, fry i'r awyr las lachar. Fry, uwchben y mynyddoedd. Fry, i'r gwyntoedd cyflym. Fry, fry, fry i belydrau drylliedig yr haul.

'Dwi'n gallu ei gweld hi,' gwaeddodd Iona.

Agorais fy llygaid a chael fy nallu gan yr heulwen am eiliad. Roedd amlinell aderyn yn y pellter, fel y gwylanod y mae plant bach yn tynnu eu llun. Ond nid gwylan oedd yr aderyn hwn. Roedd yn llawer mwy na hynny, yn llawer mwy.

Hedfanodd yr aderyn yn nes a throi yn yr awyr, gan ddangos ei fol gwyn a'r stribedi brown ar blu ei adenydd a'i gynffon. Edrychais drwy'r binocwlars.

'Gwalch y pysgod yw e, yn bendant,' meddwn i.

'Wrth gwrs 'ny,' meddai Iona. 'Dere, gad i ni gael gwell golwg.'

Rhedon ni i lawr y bryn tuag at lannau coediog y llyn.

Roedd Iona'n gwibio drwy'r coed o'm blaen i'n barod. Pan dynnais fy hun i fyny i'r goeden dderw, roedd Iona'n eistedd ar y cratiau pren, a'i llygaid yn disgleirio. 'Edrych, mae e wedi'i gweld hi,' meddai.

Edrychais draw at y nyth. Roedd yr aderyn gwryw yn clwydo ar ei ben, a'i adenydd fymryn ar agor gan ddangos ei fol gwyn. Yn sydyn, cododd i'r awyr gan gario pysgodyn. I fyny ag ef, yn uwch ac yn uwch o hyd. Gallen ni ei glywed yn galw'n uchel, 'Cîî... cîî... cîî.' Yna plymiodd i lawr fel carreg, a'r pysgodyn rhwng ei grafangau. Roedd hi'n anodd ei weld yn erbyn y bryn coediog, yn mynd yn gynt ac yn gynt tuag at y dŵr, hyd nes iddo godi'n sydyn a hedfan fry i'r awyr unwaith eto. Roedd y gwalch benyw yn troelli yn yr awyr uwchben, yn gwylio.

'Mae e'n dawnsio yn yr awyr,' gwenodd Iona. 'Mae e'n ceisio creu argraff dda arni.'

Dyma'r gwalch gwryw'n gwneud yr un tric plymio eto, ond y tro hwn cododd yn sydyn a hedfan i'r nyth gyda'r pysgodyn.

Gwylion ni'r gwalch benyw yn troelli'n is ac yn is nes iddi lanio ar goeden wrth ei ymyl. Cydiodd wrth gangen oedd yn symud oddi tani, gan archwilio'r nyth. Daliais fy anadl.

Ond yn sydyn, dyma hi'n agor ei hadenydd ac yn hedfan i ffwrdd dros y coed y tu ôl i ni a diflannu.

'Dyw'r nyth ddim yn ddigon da iddi,' meddwn i.

Edrychais drwy'r binocwlars ar y gwalch gwryw. Bu bron i mi chwerthin. Petai aderyn yn gallu edrych yn siomedig, dyna sut roedd e'n edrych nawr. Roedd y plu ar ei ben yn anniben ac roedd yn syllu ar ei bysgodyn fel petai ar hwnnw roedd y bai am bopeth.

'Dyma hi eto,' sibrydodd Iona.

Dyma'r gwalch benyw yn hedfan yn isel mewn cylch ac yn glanio'n syth ar y nyth. Camodd o gwmpas yr ymyl a thynnu rhai brigau i'w lle fel petai pethau ddim yn hollol wrth ei bodd. Yna, tynnodd y pysgodyn oddi ar y gwalch gwryw a dechrau rhwygo darnau o gnawd i ffwrdd.

Pwysodd Iona tuag ataf a rhoi pwt i mi. 'Edrych, mae hi'n ei hoffi e.'

Nodiais, ac am ryw reswm teimlais fy wyneb yn gwrido'n goch goch.

Pennod 7

Rhoddais lwyaid o siwgr brown ar fy uwd a'i wylio'n toddi'n byllau euraid gludiog.

'Fe fydd hwnna'n pydru dy ddannedd di,' meddai Dad. Rhoddodd lwyaid o halen a lwmp bach o fenyn ar ei uwd ei hun a'i droi. Roedd e'n edrych yn flinedig ac yn bigog. Tybiwn ei fod wedi bod ar ei draed yn ystod y nos yn cadw llygad ar y mamogiaid oedd bron â geni ŵyn.

'Ro't ti'n hwyr yn dod 'nôl o chwarae pêl-droed ddoe,' meddai Dad. Roedd e'n pori drwy gylchgrawn ffermio. 'Fe fyddet ti wedi bod o help i Graham a finne.'

Roeddwn i eisiau dweud wrthyn nhw fy mod i ar y bryniau yn gwylio gwalch y pysgod yn dychwelyd. Roeddwn i bron â hollti fy mol eisiau dweud bod gweilch yn nythu gyda ni yma, ar ein fferm ni. Ond cyfrinach oedd hi, cyfrinach Iona a fi. Roedden ni wedi addo na fydden ni'n dweud wrth neb.

Arllwysodd Graham gwpanaid o de a chwerthin. 'Doedd e ddim yn chware pêl-droed ddoe. Roedd e lan ar y bryn yn agor a chau ei freichiau ac yn chware hedfan fel aderyn bach. Fe welais i fe gyda merch lan 'na.' Trodd ataf. 'Dy gariad di yw hi, ie?'

Rhoddais ergyd i'w fraich ac aeth te dros y bwrdd i gyd.

'O! Wnewch chi'ch dau fihafio, er mwyn popeth,' meddai Mam. 'Graham, rwyt ti'n ddigon hen i wybod yn well.' Sychodd y te o'r bwrdd ac eistedd yn ôl yn y gadair siglo gan gynhesu ei thraed ar y ffwrn. 'Pa ferch yw hon, 'te?'

Cododd Graham ei aeliau. 'Roedd hi'n edrych fel wyres McNair Wyllt i mi.'

'Ro'n i'n clywed ei bod hi 'nôl,' meddai Mam.

'Plentyn Fiona McNair?' meddai Dad. Trodd at Mam. 'Ro't ti yn yr ysgol 'da Fiona, on'd oeddet ti?'

Nodiodd Mam. 'O'n, ond mae tipyn o amser ers 'ny. Fe fu llawer tro ar fyd ers hynny.'

'Mae Rob yn casáu teulu McNair,' meddwn i. 'Mae e'n dweud bod mam Iona wedi dwyn arian oddi ar ei dad a difetha'i fusnes. Ydy hynny'n wir?'

Dechreuodd Mam glirio'r bwrdd. 'Mae hi'n wir fod llawer o arian wedi mynd ar goll y diwrnod y gadawodd Fiona,' ochneidiodd. 'Ond a bod yn onest, doedd dim llawer o siâp ar dad Rob fel dyn busnes beth bynnag.'

'Roedd e'n ceisio adeiladu parc antur,' meddai Dad. 'Llwybrau beics drwy'r goedwig a weirennau uchel fry yn y coed. Roedd y lle'n colli arian cyn i Fiona fynd i weithio yno.'

'Dawnswraig yw hi, yntê?' meddwn i. 'Dyna mae Iona'n ei ddweud. Mae hi yn y sioeau mawr yn Llundain.'

Edrychodd Mam a Dad ar ei gilydd a throdd Dad i ddarllen ei gylchgrawn eto. 'Wel, dwi ddim wedi clywed oddi wrthi ers tro,' meddai Mam. 'Ond fe glywais i ei bod hi'n dawnsio tipyn.'

Dechreuodd Graham bwffian chwerthin.

Rhythodd Dad arno. 'Does dim defaid angen eu bwydo?'

Estynnodd Graham am ei got a rhoi slap ar fy nghefn. 'Bant â ti i'r ysgol nawr,' gwenodd. 'Paid â bod yn hwyr.'

Doedd hi ddim yn deg. Roedd Graham yn ddeunaw. Roedd e wedi gorffen yr ysgol ac roedd e'n ôl ar y fferm lle roedd e wedi bod eisiau bod erioed. Roedd Mam a Dad hyd yn oed yn gadael iddo fyw yn y bwthyn i fyny'r lôn lle roedd Dad-cu yn arfer byw cyn iddo farw. Roedd Graham yn dweud bod angen ei le ei hunan arno. Doeddwn i ddim yn meddwl y dylai Mam goginio ei brydau bwyd a golchi ei ddillad i gyd hefyd.

'Sut un yw hi?' gofynnodd Mam.

'Pwy, Iona?' meddwn i. Codais fy ysgwyddau. 'Sut dylwn i wybod?'

* * *

Gwibiais i mewn i'r ysgol wrth i'r gloch ganu. Roedd hi'n fore Llun ac roeddwn i'n hwyr. Gwthiais fy meic i mewn i'r bwlch wrth ochr un Rob a rhuthro i'r ystafell ddosbarth. Roedd gweddill y dosbarth yn eistedd yn barod. Edrychodd yr athrawes yn gas arnaf a tharo'i wats â'i bys wrth i mi eistedd wrth ymyl Rob ac Euan.

'Beth ddigwyddodd i ti nos Wener?' sibrydodd Euan. 'Chyrhaeddaist ti ddim adre am oriau ar ôl i ni dy adael di. Fe orfododd Mam fi i ddweud wrthi ble ro'n ni wedi bod.'

Roedd nos Wener yn teimlo fel oes yn ôl, er mai dim ond tri diwrnod oedd e.

'Fe es i i fwrw golwg dros y defaid,' meddwn i'n gelwyddog.

'Wnei di byth ddyfalu pwy sy yma,' meddai Rob. Roedd ei wyneb yn dywyll, fel taran. Nodiodd at y byrddau ym mlaen y dosbarth. 'Hi.'

Yr eiliad honno, trodd Iona. Roedd hi fel petai'n gallu ein teimlo ni'n ei gwylio hi. Roedd hi'n edrych yn ddieithr ac allan o'i chynefin yn yr ystafell ddosbarth, yn ei hiwnifform lwyd a'i chnu las. Roedd ei gwallt wedi'i glymu'n ôl, ond roedd cudynnau trwchus yn sticio allan yn y cefn. Gwenodd arnaf, ond edrychais i ffwrdd.

'Dyw hi ddim yn gall,' meddai Rob.

Aeth ein hathrawes ati i gyflwyno Iona, ond roedd y rhan fwyaf o'r dosbarth yn gwybod amdani yn barod. O leiaf roedden nhw'n adnabod ei thad-cu, ac roedd hynny'n ddigon i wneud i rai o'r merch ddechrau chwerthin.

Amser cinio gwelais Iona ar ei phen ei hun. Roedd hi'n eistedd ar wal bellaf y buarth yn syllu allan dros y caeau. Es i draw at griw o'r dosbarth oedd yn cyfnewid cardiau.

'Mae hi wedi anghofio'i chinio,' meddai Ruth. 'Ond mae hi'n gwrthod dweud wrth yr athrawon.'

'Edrych golwg sy arni, wir,' meddai Sara. 'Dwi ddim yn gwybod pam mae *hi*'n cael gwisgo treinyrs pan nad yw neb arall yn cael gwneud.'

Rhoddodd Ruth ei chardiau allan ar y bwrdd. 'Dwi wedi clywed bod ei mam mewn ysbyty meddwl.'

Cododd Sara gerdyn a'i gyfnewid am un oedd ganddi hi. 'Mae Mam wedi dweud na ddylwn i wneud dim â hi.'

'Pam?' gofynnais.

'Achos dyw hi ddim yn gall,' meddai Rob. 'Rwyt ti wedi gweld hynny dy hunan.'

Cadwais frechdan i Iona, ond ches i ddim cyfle i'w rhoi hi iddi tan wers y prynhawn. Gadawodd yr athrawes i Iona ddewis rhywun i weithio gyda hi yn y llyfrgell ar gyfer ein prosiect dosbarth ar ailgylchu, a dewisodd hi fi.

'Diolch,' meddai Iona. Llowciodd y frechdan a sychu'r briwsion o'i gên.

Eisteddon ni yng nghornel y llyfrgell a rhoi'r llyfrau allan o'n blaenau.

Doedd neb arall yno. Roedd yr haul yn arllwys drwy'r ffenestri mawr ar yr ochr.

'Edrych ar y llyfr hwn,' meddai Iona.

Eisteddodd wrth fy ymyl ac agor llyfr mawr am fywyd gwyllt yr Alban. Dechreuodd fyseddu'r tudalennau. 'Mae ffau bele gyda ti ar dy fferm, o't ti'n gwybod hynny?'

Pwysais draw i edrych ar y darlun o'r creadur oedd yn eistedd ar gangen coeden. Roedd ei gorff hir, brown yn edrych fel hanner cath a hanner gwenci. Dim ond unwaith o'r blaen roeddwn i wedi cael cip ar fele; dim ond ei wyneb yn syllu uwchben hen foncyff oedd wedi cwympo. Roedd e wedi troi a diflannu gan ddangos fflach o gynffon drwchus. Trois i dudalen arall. Roedd Iona fel petai'n gwybod mwy am fy fferm na fi.

'Dwi wedi gweld eryrod euraid o'r blaen,' meddwn wrthi.

'Wir?' meddai Iona. 'Dwi erioed wedi gweld un.'

'Fe welais i nhw y llynedd. Ochr draw'r bryn,' meddwn i. 'Allwn ni chwilio amdanyn nhw.'

Gwenodd Iona. 'Fe fyddwn i'n hoffi hynny.'

Pwysais dros Iona er mwyn pwyntio at ffotograff o garw coch, 'Ac mae'r rheina gyda ni…'

'Callum!'

Neidiais. Doeddwn i ddim wedi clywed drws y llyfrgell yn agor. Roedd Rob yn sefyll y tu ôl i ni, yn rhythu arnaf. Codais yn frysiog.

'Amser mynd,' meddai Rob. Gwgodd ar Iona.

Trodd Iona a phori drwy ei llyfr eto.

Anwybyddais hi a dechrau rhoi'r llyfrau i gadw ar y silffoedd.

'Dere,' meddai Rob, 'mae'n amser mynd adre. Gad iddi hi wneud y gweddill.'

Dilynais Rob allan drwy'r drws ac i'r buarth. Tynnon ni ein beiciau o'r rhesel a'u gwthio heibio i'r mamau a'r tadau oedd yn aros wrth glwydi'r ysgol. Roedd yr hen Mr McNair yn sefyll ar ochr draw'r ffordd, yn grwm mewn cot frown hir. Wrth i ni seiclo heibio, sylwais ar byjamas streipiog yn taro yn erbyn ei goes noeth.

'Ras!' meddai Rob.

Dyma fi'n mynd fel y gwynt y tu ôl i Rob i fyny'r bryn allan o'r pentref. Pan gyrhaeddon ni ben y bryn, edrychais yn ôl i lawr y ffordd. Roedd y pentref yn edrych fel map oddi tanon ni, gydag ambell ddafad ar wyrddni llachar y cae chwarae, neuadd y pentref a'r siop a'r bythynnod cerrig.

Roedd buarth yr ysgol yn wag, ac roedd ceir yn ymlwybro ar hyd y ffyrdd cul. Roedd person crwm yn cerdded yn araf ar hyd y ffordd oedd yn arwain allan o'r pentref tua'r de. Trodd person bach wrth ei ymyl i edrych i fyny a chodi llaw.

'Dere,' meddai Rob. 'Pam wyt ti'n aros?'

Chodais i mo fy llaw'n ôl.

Yn lle hynny, trois fy meic i lawr llwybr serth Lôn y Bugail, a'r olwynion yn dilyn olion teiars Rob yr holl ffordd.

Pennod 8

Y bore wedyn roedd Rob yn disgwyl amdanaf ar waelod lôn y fferm a gwên fawr ar ei wyneb.

'Wel, beth wyt ti'n feddwl?' meddai.

Edrychais ar ei feic mynydd newydd, yn sgleinio'n ddu ac yn arian.

'Grêt,' meddwn i. 'Fe anghofiais i ei bod hi'n ben-blwydd arnat ti heddi.'

'Allwn i ddim credu bod Dad wedi prynu hwn i fi,' meddai Rob. 'Y model gorau. Brêcs disg yn y blaen a'r cefn, gêrs Shimano, ffyrch hongiad, y cyfan. Ac edrych ar hwn.' Pwyntiodd at banel bach oedd wedi'i glipio wrth y ffrâm. 'Cyfrifiadur beic. Fe brynodd fy modryb e i fi. Mae'n dweud beth yw fy nghyflymdra, fy uchder, pa mor bell dwi wedi teithio... mae e'n gwneud popeth.'

Dringais ar fy meic fy hun. 'Fe fentra i na fyddi di'n mynd yn gynt!' gwaeddais.

I ffwrdd â fi fel cath i gythraul. Roeddwn i'n dwlu ar foreau fel hyn, a'r heulwen yn llachar ar y pyllau bas. Roedden ni'n eithaf cyfartal ar y darn gwastad, ond roedd Rob yn gynt na fi ar Lôn y Bugail, i fyny drwy'r llwybrau garw. Doedd fy nheiars i ddim yn gafael yn y cerrig rhydd, ac roedd yn rhaid i mi ddod oddi ar y beic a'i wthio weddill y ffordd.

Roedd Rob yn sychu'r mwd oddi ar ei olwynion aloi ac yn siarad ag Euan pan gyrhaeddais y sied feics. Roedd Iona'n hofran wrth law, ond dyma fi'n esgus nad oeddwn i wedi'i gweld hi.

'Ydych chi'n dod draw heno?' gofynnodd Rob i ni. 'Mae Mam yn coginio pitsas.'

'Ac fe ddo i â'r DVD newydd cŵl sy gen i,' meddai Euan.

Rholiodd Rob ei lygaid. 'Gad i fi ddyfalu, "Can Lle i Fynd i Bysgota Cyn i Chi Farw".'

'"Pysgota Eithafol" yw e, a dweud y gwir,' meddai Euan. 'Mae siarcod a baraciwdas arno fe.'

'Rywbryd eto, falle,' meddai Rob. 'Mae'r cyffro'n ormod i fi.'

Rhoddais fy mag dros fy ysgwydd a cherdded gyda Rob ac Euan ar draws y buarth i'r wal bellaf. Tynnodd Rob ei waith cartref allan a chopïo rhai o atebion Euan, gan eu sgriblan ar ei daflenni gwaith. Roedd Iona'n pwyso yn erbyn y wal yn weddol agos aton ni, gan fy ngwylio i. Canodd y gloch a dechreuodd y plant symud tuag at eu hystafelloedd dosbarth.

'Dere,' meddai Euan, 'mae'r wers yn dechrau.'

Stwffiodd Rob ei waith cartref i'w fag a rhuthron ni i fyny'r grisiau i'r ystafell ddosbarth. Roeddwn i wrth y drws pan alwodd Iona fi'n ôl.

'Beth mae hi eisie?' gwgodd Rob.

Codais fy ysgwyddau. 'Fe ddilyna i chi nawr.' Trois at Iona.

'Wyt ti'n dod i'r llyn ar ôl ysgol?' gofynnodd.

'Alla i ddim,' meddwn i. 'Mae'n ben-blwydd ar Rob.'

'Dim ots.' Gwenodd a rhoi amlen fawr i mi. 'Fe wnes i hwn i ti neithiwr.'

Gallwn weld Rob yn ein gwylio ni o'r ffenest.

'Diolch, Iona,' meddwn o dan fy anadl. Stwffiais hi yn fy mag.

'Dwyt ti ddim yn mynd i edrych ynddi?' gofynnodd.

'Wedyn,' meddwn i. 'Dere, ry'n ni'n hwyr.'

Cerddais i gefn yr ystafell a gollwng fy mag ar y bwrdd gyda Rob ac Euan. Doedd yr athrawes ddim yn y dosbarth eto, felly tynnais fy ngwaith cartref allan o'r bag a cherdded rhwng y byrddau i'w roi ar ei desg.

Pan ddes yn ôl at fy nghadair, roedd Euan a Rob yn plygu dros fy mag. Roedden nhw wedi tynnu'r amlen allan a'i hagor, ac roedden nhw'n edrych ar ddarlun ar ddarn o bapur.

'Rhamantus iawn,' meddai Euan dan wenu.

Edrychais ar y papur. Roedd Iona wedi peintio dau walch y pysgod. Roedd un yn eistedd yn y nyth ac roedd y llall yn hedfan a'i adenydd ar led, yn dod â physgodyn. Roedd hi wedi'i lofnodi: 'I Callum, oddi wrth Iona. xxx.'

'Mae hi'n dy wylio di o hyd,' meddai Rob. 'Dwi'n meddwl ei bod hi'n dy ffansïo di!'

'Dyw hi ddim,' meddwn o dan fy anadl.

'Edrych ar yr holl gusanau 'ma,' meddai Rob.

Roeddwn i'n ysu iddo gau ei geg. Roedd Iona'n edrych arnon ni nawr.

'Daeth ei thad-cu i'r siop yn ei byjamas yr wythnos diwetha,' meddai Euan. 'Pyjamas a sliperi, dyna'r cyfan oedd amdano fe.'

Edrychodd Rob dros fy ysgwydd ar Iona.

'Maen nhw'n hanner call a dwl, y ddau ohonyn nhw,' meddai. 'Fe ddylen nhw gael eu rhoi mewn ysbyty meddwl.' Daliodd y darlun i fyny i bawb gael ei weld. Roedd gweddill y dosbarth yn gwrando nawr. Chwarddodd rhai o'r merched. Roedd llais Rob yn glir ac yn uchel. 'Maen nhw'n hanner call a dwl. Beth wyt ti'n feddwl, Callum?'

Gallwn weld Iona'n fy ngwylio o dan ei gwallt coch. Gallwn deimlo'i llygaid yn llosgi i mewn i mi.

Roedd y dosbarth cyfan yn fy ngwylio.

Edrychais i lawr ar fy esgidiau, lle roedd mwd wedi caledu'n gragen frown drwchus. 'Ydyn, hanner call a dwl,' meddwn i.

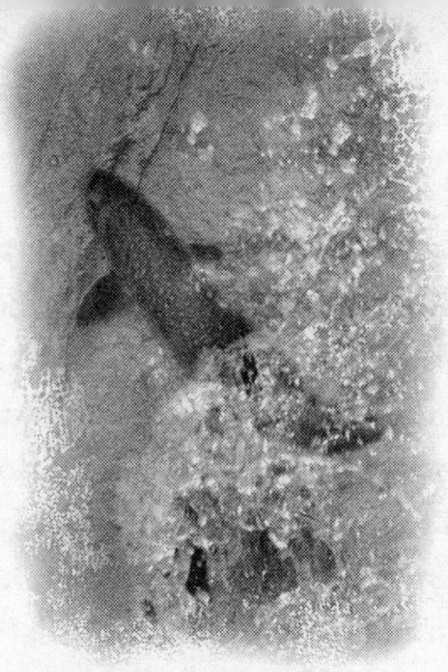

Pennod 9

Gwthiais olwyn flaen fy meic allan i'r ymyl. Torrodd y ddaear o dan y teiar gan wneud i gerrig mân syrthio i lawr yr hafn serth. Yn y gaeaf roedd dŵr yn llifo o'r bryniau i lawr fan hyn ond nawr roedd yn gwymp o fwd a cherrig.

'Cwymp Marwolaeth,' gwenodd Rob. 'Lôn Angau.' Gwthiodd y botymau ar banel bach ei gyfrifiadur beic. 'Fe fydd e'n cofnodi popeth,' meddai, 'y graddiant, y cyflymder, y cadens... popeth.'

Daliais yn dynn yng nghyrn fy meic, a'r gwaed yn curo yn fy nghlustiau.

'Barod?' Goleuodd wyneb Rob â'i wên wyllt.

Nodiais.

Dyma Rob yn ffidlan â'r camera oedd yn sownd wrth ei helmed. 'Fe ddo i ar dy ôl di ar fy meic i. Paid â 'mwrw i oddi ar y beic. Fe fachais i'r camera oddi wrth Dad. Dyw e ddim yn gwybod ei fod e gyda fi.'

Syllais i lawr i'r cwymp oddi tanaf. Petai popeth yn mynd yn iawn, byddwn i'n cyrraedd y man gwastad ac yn saethu i fyny'r llethr yr ochr draw.

'O'r gorau,' meddai Rob. 'Pump…'

Pam dwi'n gwneud hyn?

'Pedwar…'

Dwi'n mynd i farw.

'Tri…'

Alla i ddim…'

'Dau…'

ALLA I DDIM!

'Un…'

Gwneud hyn.

'Cer…'

Roedd y ddaear wedi mynd.

Roeddwn i'n hedfan… yn cwympo. I lawr, i lawr, i lawr. Pwysa'n ôl, pwysa'n ôl, sgrechiodd fy meddwl. Dyma fi'n taro'r llawr, a thasgodd graean a cherrig o'r olwyn ôl, aeth hi'n sownd yn rhigolau dwfn yr hafn, a phlygodd ei hadain metel, cefais fy nhaflu drwy'r awyr wrth i'r olwyn flaen daro i mewn i dwmpath o wair. Bendramwnwgl, yn gawdel o goesau, breichiau a beic, yn plymio i lawr drwy gwmwl o fwd a cherrig a grug, bendramwnwgl, yr holl ffordd i lawr hafn y rhaeadr i'r llwybr garw islaw.

Dyma fi'n glanio ben i waered mewn pentwr o rug a gweld Rob yn hedfan i fyny'r llethr, yn gwneud hanner-tro perffaith yn yr awyr ac yn diflannu'r ochr draw.

Roedd hi'n dawel, yna clywais sŵn dŵr yn tasgu.

'Gwylia beth wyt ti'n wneud, y diawl!' gwaeddodd llais Euan.

'Ti oedd yn y ffordd!' bloeddiodd Rob yn ôl.

Gorweddais yno, gan wrando arnyn nhw'n dadlau. Symudais fy mreichiau a'm coesau. Doeddwn i ddim yn credu bod esgyrn wedi'u torri a doedd hi ddim yn edrych fel petai Rob nac Euan yn mynd i ddod i weld, chwaith. Cerddais yn drwsgl i fyny'r llethr a gweld Rob ac Euan ar eu hyd yn nŵr bas yr afon.

Rhoddodd Euan gic i feic Rob. 'Fe allet ti fod wedi torri fy ngwialen bysgota, y twpsyn dwl.'

Cododd Rob ei feic a'i lusgo i'r lan gan chwerthin. 'Da iawn, Callum! Mae'r cyfan ar y camera.'

'Ac fe godaist ti ofn ar y pysgod i gyd,' gwaeddodd Euan. 'Ddalia i ddim byd a chi'ch dau'n chwarae o gwmpas.'

'Wyt ti'n defnyddio'r bluen gywir?' gwaeddodd Rob, gan dynnu darn o siocled o'i fag.

Trodd Euan a syllu'n gas arno. 'Fel taset ti'n gwybod,' meddai.

Gwthiais fy meic draw at Rob. 'Dyfala pa mor hir fydd hi cyn y bydd e'n dweud wrthon ni mai fe yw'r pencampwr pysgota â phlu,' gwenais.

'Fe glywais i 'na,' gwaeddodd Euan. 'Enillais i mo'r cwpan pysgota â phlu ar chwarae bach!'

'Dal!' bloeddiodd Rob, a thaflodd far o siocled i Euan. '...Falle mai dyna'r unig beth y byddi di'n ei ddal heddi.'

'Diolch,' meddai Euan dan ei wynt. 'Gwylia di, Rob,' meddai. 'Mae tipyn o grefft i bysgota â phluen, yn wahanol i dy stwff cyfrifiadur di. Aros di.'

Eisteddais yn y borfa feddal a rhwbio fy nghoesau oedd yn gleisiau i gyd. Rhoddodd Rob ddarn o siocled i mi a gwylion ni'r cyfan eto ar y camera. Roeddwn i'n meddwl 'mod i wedi rheoli'r beic am rywfaint o'r amser, ond y cyfan oedd ar y camera oedd fi'n mynd bendramwnwgl.

Chwarddodd Rob. 'Mae'n rhaid i ti ganolbwyntio. Ti a'r beic, ti *yw*'r beic.'

Edrychais ar fy meic, ar y crafiadau dwfn yn y paent a'r adain metel oedd wedi'u plygu. 'Dwi'n deall beth ti'n feddwl,' ochneidiais.

Roedd yr haul mor boeth, yn debycach i ddiwrnod o haf nag un ym mis Mai. Roedd gweddill y gwyliau hanner tymor yn ymestyn o'n blaenau. Gorweddais yn ôl, cau fy llygaid a gadael i'r siocled doddi'n araf yn fy ngheg.

Roedd dros fis ers i mi eistedd gyda Iona ar y bryn grug a gweld y gwalch yn dychwelyd. Doeddwn i ddim wedi gweld llawer ar Iona ers hynny. Dwi'n meddwl ei bod hi'n fy osgoi i. Roeddwn i eisiau ymddiheuro am y pethau cas roeddwn i wedi'u dweud amdani hi a'i thad-cu, ond doedd dim adeg gyfleus byth. Roeddwn i'n mynd at y llyn yn aml i wylio'r gweilch. Roeddwn i hyd yn oed wedi gweld y gwalch gwryw yn dal pysgodyn yn ei grafangau'n syth allan o'r llyn, ond doedd hi ddim yr un fath heb Iona i rannu'r profiad â hi.

'DWI WEDI DAL UN!' gwaeddodd Euan.

Rhedodd Rob a minnau i lawr y llethr.

Roedd Euan hyd at ei gluniau yn y dŵr, a'i wialen yn gwyro i lawr yr afon. 'Dyma fe'n dod,' meddai. Plygodd pen y wialen a chrynu yn erbyn y pysgodyn oedd yn ymladd am ei fywyd. Fflachiodd bol arian heibio wrth i'r pysgodyn neidio o wyneb y dŵr, gan droi yn yr awyr cyn plymio'n ôl i mewn.

'Dwi wedi dy ddal di, dwi wedi dy ddal di!' Dyma Euan yn dirwyn y pysgodyn i'r lan greigiog. 'Brithyll,' meddai gan wenu. 'Un eitha mawr hefyd.'

Gwylion ni'r pysgodyn yn llyncu ac yn gwingo ar y ddaear wrth ein traed. Roedd y cen llyfn yn pefrio'n amryliw yn yr heulwen lachar a'r tagellau coch yn agor a chau'n wyllt. Roeddwn i eisiau ei godi a gadael iddo lithro'n ôl i ddŵr oer yr afon. Roeddwn i eisiau ei wylio'n nofio i ffwrdd o dan yr arwyneb disglair. Ond dyma Euan yn ei daro ar ei ben â phastwn.

'CALLUM!'

Roedden ni wedi ymgolli cymaint yn edrych ar y pysgodyn fel nad oedden ni wedi gweld Iona ar y llethr uwch ein pennau. Roedd ei hwyneb yn goch ar ôl bod yn rhedeg.

'Callum, mae'n rhaid i ti ddod!' gwaeddodd.

Roedd Rob ac Euan yn edrych arnaf.

Roeddwn i eisiau galw ar Iona, iddi ddod aton ni. Roeddwn i eisiau iddyn nhw ei hoffi hi.

'Ro'n i'n meddwl dy fod ti wedi cael gwared arni hi,' meddai Rob.

'All hyn ddim aros?' galwais ar Iona.

Llithrodd Iona i lawr y llethr a'm tynnu i ffwrdd oddi wrth y lleill. Nawr gallwn weld ei bod hi wedi bod yn llefain, a bod dagrau dros ei hwyneb i gyd.

'Y gwalch benyw,' sibrydodd. Roedd ei llais yn drwchus ac yn aneglur. 'Dwi'n credu ei bod hi wedi marw.'

Pennod 10

'*Dere*, Callum,' meddai Iona, gan dynnu wrth fy llawes.

Roedd Rob ac Euan yn syllu arnaf.

Trois yn ôl at Iona. 'Ble mae hi?' meddwn.

'Yn ôl wrth y llyn.'

'Hei, Callum,' gwaeddodd Rob. 'Gad i ni fynd i feicio ar y llwybr ucha.'

'Mae'n rhaid i ni frysio,' meddai Iona.

Roedd Rob yn cerdded draw aton ni nawr.

'Edrych, Iona...' meddwn i, 'alla i ddim...'

'Iawn!' poerodd Iona. 'Paid â ffwdanu. Aros gyda dy ffrindie.'

Cododd fy meic, codi ei choes drosodd a dechrau mynd i lawr y llwybr.

'Iona!' gwaeddais. Ond roedd hi eisoes yn rasio tua'r ffordd dros y bont gerrig. Edrychais ar feic Rob wrth fy nhraed. Roedd e'n dwlu arno, model Fformiwla Un y beics mynydd. Codais ef, gan roi fy nwylo o amgylch y cyrn llywio.

'Hei, Callum!' bloeddiodd Rob. 'Gad lonydd i fy meic i.'

Cymerais gip arno dros fy ysgwydd.

'Ddim fy meic i!' bloeddiodd Rob. 'Ddim fy meic i!'

I ffwrdd â fi, gan lithro'n llyfn drwy'r gêrs. Roedd y ffrâm yn gadarn yn erbyn y cerrig a'r rhigolau, ac roedd y teiars yn cydio yn y mwd trwchus. Hedfanais i lawr y llwybr ar ôl Iona.

'Ladda i di, Callum. Fe blydi ladda i di.' Ond cafodd llais Rob ei foddi gan ruthr yr afon o dan y bont mewn dim o dro.

Daliais Iona ar waelod llwybr y mwynwyr. Aethon ni heibio i'r hen chwareli gan ddilyn glan yr afon. Roedd fy nghoesau'n gwynio a'm hysgyfaint yn llosgi.

'Brysia,' meddai Iona.

Gwthiais feic Rob i ben y llwybr.

'Edrych!' gwaeddodd Iona, pan gyrhaeddon ni lan y llyn.

Edrychais draw dros y dyfroedd tywyll ar yr ynys.

Aeth fy ngheg yn sych.

Roeddwn i'n teimlo'n sâl.

O dan un o ganghennau'r goeden nythu, roedd y gwalch benyw'n hongian ac yn troi'n araf fel petai edau anweledig yn ei dal. Roedd hi'n troelli yng nghanol yr awyr, ben i waered, fel dawnswraig bale erchyll. Roedd ei thraed yn pwyntio at yr awyr, a'i hadenydd yn pwyntio at y llawr.

'Lein bysgota,' meddai Iona. 'Dwi'n meddwl ei bod hi wedi mynd yn sownd mewn lein bysgota.'

Doedd y gwalch benyw ddim yn symud. Roedd ei chorff yn hongian yn llac ac yn llipa. Curais fy nwylo, unwaith, ddwywaith. Atseiniodd ar draws y llyn.

Neidiodd y gwalch i fyny'n sydyn. Yn ofer, ceisiodd ei hadenydd guro'r awyr, a dechreuodd siglo fel pendil o dan ei nyth, yn ôl ac ymlaen, yn ôl ac ymlaen.

'Cîî... cîî... cîî...' galwodd i rybuddio'i chymar.

'Fe fydd hi'n marw,' meddai Iona. 'Bydd hi'n marw fel'na.'

Edrychais ar y goeden. 'Allwn ni ddim dringo honna. Mae'n llawer rhy uchel,' meddwn i. 'Mae hi dros gan troedfedd o uchder, siŵr o fod.'

'Mae rhaffau gyda chi ar y fferm,' meddai Iona.

Edrychais arni. Roedd golwg benderfynol arni.

'Mae angen stwff dringo coed go iawn arnat ti,' meddwn i. 'Harnais a rhaffau abseilio ac ati.'

Rhoddodd Iona ei dwylo ar ei chluniau. 'Allwn ni ddim gadael iddi farw.'

'Dwi'n gwybod,' meddwn i. Edrychais i fyny eto drwy'r heulwen. Roedd y gwalch yn llonydd eto. 'Bydd yn rhaid i ni gael help.'

'A dweud y gyfrinach wrth rywun?' meddai Iona. Roedd hi'n gynddeiriog. 'Byth.'

'Does dim dewis gyda ni,' meddwn i'n bendant.

'Fe addewaist ti, Callum,' meddai hi. 'Os na ddringi di, fe wna i.'

Ciciais y ddaear. 'A beth os llwyddwn ni i'w chael hi lawr? Mae'n siŵr o fod wedi'i hanafu. Beth wedyn? Fe fyddi di'n gwybod beth i'w wneud, fyddi di?'

Gwasgodd Iona gledrau ei dwylo yn ei llygaid. 'Allwn ni ddim gadael iddi farw,' llefodd.

'Dere,' meddwn i. Codais feic Rob a dechrau mynd i lawr y llwybr. 'Allwn ni ddim gwneud hyn ar ein pennau ein hunain.'

Pennod 11

Rhoddodd Dad y ffôn yn ôl ar wal y gegin. 'Hamish o'r warchodfa natur oedd yno,' meddai. 'Mae e'n dod i helpu.'

'Mae'n rhaid iddo fe beidio â sôn wrth neb am y gweilch,' meddai Iona.

'Does dim rhaid i ti boeni,' meddai Dad. 'Fe sy'n gyfrifol am y gweilch yn y warchodfa natur. Fe gadwith e'n dawel am y peth.'

'Mae'n well iddo fe,' meddai Iona, gan gerdded yn ôl a blaen.

Gwenodd Dad a chwibanu'n dawel dan ei wynt. 'Pwy feddyliai? Mae gweilch gyda ni fan hyn, ar ein fferm ni.'

Awr yn ddiweddarach roedden ni yng nghefn y Land Rover yn mynd bwmp-di-bwmp ar hyd y cae uchaf.

'Daliwch yn dynn 'nôl fan'na!' gwaeddodd Dad wrth i'r Land Rover fynd dros y twmpathau gwair.

Doedd Hamish ddim yn edrych yn llawer hŷn na rhai o'm cefnderoedd. Roedd e tua dau ddeg tri, siŵr o fod, dau ddeg pedwar efallai. Roedd ganddo wên fawr a llwyth o stwff: harneisiau a rhaffau i ddringo'r goeden, clorian i bwyso'r gwalch, a chit i roi modrwy am ei choes. Gwasgodd y cyfan i mewn o'n hamgylch ac eistedd ar fag o raffau, gan ddal cas bach du yn ofalus yn ei gôl.

Roeddwn i'n hoff ohono'n syth a gallwn ddweud ei fod yntau'n hoff ohonom ninnau. Wrth i'r Land Rover balu ymlaen dros y tir anwastad, dywedodd Iona wrth Hamish am ffau'r bele roedd hi wedi dod o hyd iddi mewn coeden gau ac am y cwtiaid aur oedd yn nythu ar y gors a'r ceirw cochion oedd yn pori ar y llechweddau uwchben y fferm. A gwrandawodd Hamish arni, gwrando'n iawn, hynny yw.

'Fe fyddi di'n dwyn fy ngwaith i i gyd,' chwarddodd Hamish.

Llithrodd y Land Rover ar y llwybr mwdlyd wrth ymyl yr afon, a daliodd Hamish yn dynnach yn y cas du.

'Beth sy yn hwnna?' gofynnodd Iona.

'Yn hwn?' meddai Hamish. Curodd ochr y cas bach du yn ysgafn. 'Fe gei di weld. Gobeithio y cawn ni gyfle i'w ddefnyddio fe, dyna i gyd.'

Arhosodd Dad ym mhen draw'r llyn lle roedd ein cwch rhwyfo bach yn gorwedd ar y cerrig mân.

'Ble mae hi?' gofynnodd Hamish.

'Fan'na,' meddwn i. Pwyntiais draw dros y llyn at yr ynys. Roedd y gwalch benyw yn hongian o dan y nyth, fel corff marw. Roedd hi'n troi'n araf, rownd a rownd a rownd.

Rhoddodd Iona ei hwyneb yn ei dwylo. 'Mae hi wedi marw, on'd yw hi?'

Edrychodd Hamish arni drwy ei finocwlars. 'Mae'n anodd dweud,' meddai dan ei wynt. 'Ond dyw hi ddim ar ei phen ei hun.'

Syrthiodd pâr o frain o'r awyr, a mynd amdani o'r ochr. Cododd hi i fyny'n sydyn, curo'i hadenydd a rhoi pwt iddyn nhw â'i phig, ond gallwn weld ei bod hi wedi gwanhau tipyn yn barod.

'Dewch,' anogodd Iona. 'Does dim llawer o amser gyda ni.'

Rhwyfodd Dad a Hamish. Eisteddais ym mhen blaen y cwch a daliodd Iona gas bach du Hamish. Cymerodd hi oesoedd i ni gyrraedd yr ynys, a'r brain yn dal i ymosod ar y gwalch.

'Edrych!' meddai Iona. 'Y gwalch arall.'

Daeth cymar y gwalch i'r golwg wrth y nyth. Gallem ei glywed yn galw'n uchel ac yn wyllt. Hedfanodd ar ôl y brain, gan droi a throsi yn yr awyr, ond hedfanon nhw o dan gysgod cangen o nodwyddau pîn trwchus, lle buon nhw'n crawcian, gan ei wawdio.

Gwnaeth y cwch sŵn crensian wrth gyrraedd glan greigiog yr ynys. Tynnon ni'r stwff allan o'r cwch, a helpodd Dad Hamish i wisgo'i harnais ddringo. Bwydodd y rhaff wrth i Hamish ddringo'n uwch ac yn uwch i mewn i'r goeden. Hedfanodd y gwalch gwryw i ffwrdd i ben draw'r llyn, lle gwyliodd ni o ben coeden. Gweithiodd Hamish ei ffordd ar hyd un o'r canghennau o dan y nyth. Plygodd y gangen wrth iddo symud gan bwyll tuag at y gwalch. Prin y gallwn wylio.

'Mae e wedi'i dal hi,' meddai Dad.

Eisteddodd Hamish a'i goesau bob ochr i'r gangen gan dynnu'r gwalch i fyny. Cyn hir roedd wedi diflannu y tu ôl i bâr enfawr o adenydd yn curo. Clywon ni Hamish yn gweiddi unwaith, cyn iddo blygu'r adenydd a gwthio'r gwalch i mewn i fag cynfas o gwmpas ei wasg. Edrychodd dros y nyth yn gyflym, ac yna disgynnodd ar y rhaff, fel pyped ar linyn, i'r ddaear islaw.

'Mae hi'n dipyn o fadam,' meddai Hamish. Sychodd ddafn o waed o gwt ar ochr ei ên. 'Ond dyna ni, mae hynny siŵr o fod yn arwydd da.'

Eisteddon ni ar y ddaear wrth ei ymyl. Datododd Hamish y strapiau o gwmpas y sling oedd yn dal y gwalch benyw. Roedd hi'n gwingo y tu mewn a gallwn glywed ei chrafangau'n crafu ar y cynfas garw.

'Ydych chi'n barod am hyn?' meddai Hamish. Roedd golwg ddifrifol iawn arno. 'Ydych chi'n barod, go iawn?'

Pwysodd Iona a minnau ymlaen. Roedd ein llygaid wedi'u hoelio ar y sling oedd yn dal y gwalch.

Gwthiodd Hamish ei ddwylo i bâr o fenig lledr hir, ac yna dechreuodd agor y cynfas gan bwyll bach.

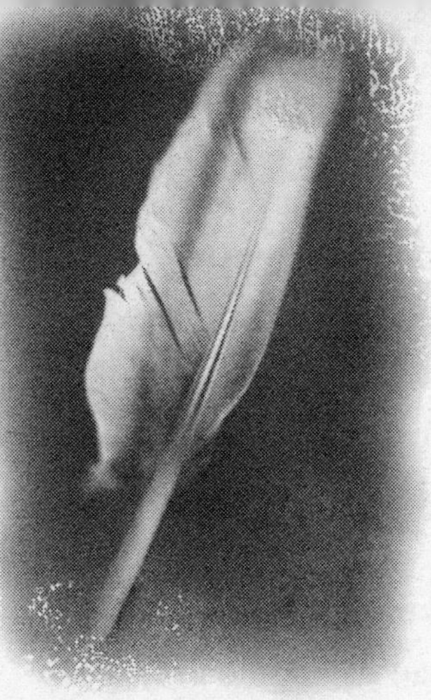

Pennod 12

Roedd ei gweld hi'n union o'm blaen yn wefreiddiol. Roedd hi fel petai'r llynnoedd a'r mynyddoedd a'r awyr wedi'u plygu'n ddwfn y tu mewn iddi, fel petai hi'n rhan fach o'r tirlun eang hwn ac na fyddai'n gallu bodoli hebddi.

'Cymer bâr o fenig, Callum,' meddai Hamish. 'Mae eisie help llaw arna i fan hyn.'

Tynnais y menig lledr trwchus hyd at fy llewys a lapio fy nwylo am adenydd y gwalch. Roeddwn i'n meddwl y byddai'n drwm iawn, ond roedd hi'n ysgafn, yn llawer ysgafnach na'r disgwyl, fel petai hi wedi'i gwneud o aer. Roedd fy nwylo'n crynu. Doeddwn i ddim eisiau ei hanafu a doeddwn i ddim eisiau i'w chrafangau miniog fy nghrafu.

'Mae tri wy gyda hi lan fan'na,' meddai Hamish. 'Edrychwch tra bydda i'n gosod y stwff 'ma.'

Dangosodd Iona'r darlun ar ffôn Hamish i mi. Roedd tri wy o liw hufen â smotiau brown fel siocled mewn gwely o borfa feddal.

'Mae hi wedi bod oddi ar y nyth ers tro nawr,' meddai Hamish. 'Well i ni fwrw iddi neu gallai'r cywion yn yr wyau farw.'

Pwysodd Hamish y gwalch mewn sling arall â chlorian. 'Pwysau da,' nodiodd Hamish. 'Gadewch i ni fwrw golwg drosti.'

Agorodd bob adain yn ofalus. Doedd y plu ddim yn frown plaen, ond roedd yno bob lliw o gaeau wedi'u haredig i wenith euraid golau. Pan agorodd Hamish yr adenydd yn llwyr, roedden nhw mor hir â fi.

'Edrychwch ar y crafangau 'na,' meddai Dad. 'Fe allen nhw wneud difrod go iawn.'

'Peiriant lladd pysgod yw hi, yn siŵr i chi,' meddai Hamish. 'Edrychwch fan hyn, mae rhigolau a chennau pigog ar ei thraed i ddal gafael ar bysgod llithrig.'

Roedd yn rhaid i mi gyffwrdd â'i chrafangau. Tynnais fy maneg a theimlo bwa perffaith lyfn bob crafanc a'r pen oedd yn finiog fel nodwydd.

'Bydd yn ofalus,' meddai Hamish. 'Os caiff hi afael ynot ti, fydd hi ddim yn dy ollwng di.'

'Mae hi'n hardd, on'd yw hi?' meddai Iona.

Nodiais. Ond llygaid y gwalch oedd yn fy rhyfeddu. Roedden nhw'n felyn fel blodau'r haul, yn llachar ac yn ddwys. Pan oedd hi'n syllu arnaf, roedd hi fel petai'n edrych yn syth i mewn i mi, fel na allwn guddio dim rhagddi.

'Cael a chael oedd hi, ond fe gyrhaeddon ni mewn pryd,' meddai Hamish. 'Diolch i Iona am hynny. Mae'r lein bysgota 'na wedi torri i'w throed hi.'

Helpais i dorri'r darnau hir o lein bysgota. Gwingodd y gwalch wrth i Hamish eu tynnu'n dyner o'i throed. Roedd y lein wedi tynnu drwy'r croen ac wedi mynd yn ddwfn i'r cnawd a gallem weld rhywbeth gwyn yn disgleirio y tu mewn.

'Mae hi'n lwcus,' meddai Hamish. 'Ei thendon hi sy fan'na. Petai'r lein wedi torri'r tendon, allai hi ddim dal gafael â'i throed. Fyddai hi byth yn gallu pysgota eto.'

'Fydd yn rhaid i ni ei chadw hi i mewn am ychydig ddyddiau?' gofynnodd Dad. 'Tan i'w throed hi wella?'

Ysgydwodd Hamish ei ben. 'Fe chwistrella i ychydig o antiseptig ar y droed ac fe ddylai wella'n iawn,' meddai. 'Dyw'r adar 'ma ddim yn gwneud yn dda iawn pan fyddan nhw wedi'u caethiwo, a beth bynnag, fe fydd ei chymar yn ei bwydo tra bydd hi'n gori ar yr wyau.'

'Felly gawn ni adael iddi fynd nawr?' gofynnodd Iona.

'Cyn hir,' meddai Hamish. 'Agor y cas bach du 'na, wnei di, Iona?'

Agorodd Iona'r clawr. Y tu mewn roedd blwch bach du petryal, weiren denau hir, a harnais fach oedd yn edrych fel y byddai'n ffitio tedi.

'Trosglwyddydd lloeren yw e,' meddai Hamish. 'Y dechnoleg ddiweddara. Ry'n ni'n ei osod ar ei chefn, fel rycsac bach. Mae e'n dweud wrthon ni lle mae hi. Hynny yw, lle mae hi yn y byd. Gallwn ni ddweud pa mor uchel mae hi'n hedfan a pha mor gyflym. Gallwn ni ddilyn ei thaith hi'r holl ffordd i Affrica a 'nôl.'

'Gwych,' meddwn i.

'Dyw e ddim braidd yn drwm?' gwgodd Iona.

'Nac ydy. Dyma ti, teimla fe.' Rhoddodd Hamish y trosglwyddydd i Iona. Daliodd hi ef yng nghledr ei llaw a rhoi ei bysedd amdano.

'Ond sut gallwn *ni* weld lle mae hi wedi bod?' gofynnais.

'Fe ro i god arbennig i chi,' meddai. 'Byddwch chi'n gallu ei roi e yn eich cyfrifiadur a bydd e'n dangos ei thaith hi ar Google Earth. Falle y byddwch chi'n gallu gweld ym mha goeden y bydd hi'n clwydo, hyd yn oed.'

'Felly byddwn ni'n gallu ei gweld hi'n hedfan?' gofynnodd Iona.

'Na fyddwch,' meddai Hamish. 'Mae gan Google Earth luniau lloeren o'r Ddaear sy wedi eu tynnu'n barod, ond fe allwch chi weld y mathau o fannau mae hi'n hedfan drostyn nhw.'

Pigodd y gwalch y menig lledr wrth i Hamish glymu strapiau'r trosglwyddydd. 'Rhaid i neb ddod i wybod am y nyth hwn,' meddai Hamish. 'Dim enaid byw. Mae tuedd i newyddion fel hyn gyrraedd y clustiau anghywir. Mae rhai pobol yn fodlon talu miloedd o bunnau i gael gafael ar wyau gweilch.'

'Ry'n ni wedi cadw'r gyfrinach hyd yn hyn, on'd y'n ni?' meddai Iona, gan ffyrnigo'n sydyn.

Gwenodd Hamish. 'Ydych,' meddai. Rhoddodd dun bach iddi. 'A fyddai hi ddim yma nawr oni bai amdanat ti. Felly, ti sy'n cael dewis y fodrwy fydd yn mynd am ei choes hi, Iona.'

Chwiliodd Iona yn y tun, gan edrych drwy'r modrwyau lliwgar.

'Cymer dy amser, Iona!' meddwn i. 'Fe fydd ei hwyau hi wedi deor erbyn i ti ddewis un.'

Gwgodd arnaf. 'Mae'n rhaid i'r fodrwy fod yn iawn.' Cododd sawl modrwy wahanol, gan archwilio pob un fel petai'n garreg werthfawr. 'Dyma ni…' Tynnodd fodrwy wen allan ac arni'r llythrennau RS.

'Pam RS?' gofynnais.

'RS… mae'n swnio ychydig bach fel Iris,' meddai Iona. 'Fe allwn ni ei galw hi'n Iris, ar ôl duwies Roegaidd y gwynt a'r awyr.'

'Beth?'

'Dwyt ti ddim yn cofio? Fe wnaethon ni fe yn yr ysgol. Negesydd o'r nefoedd oedd Iris.'

'Dyw e ddim yn enw Albanaidd iawn,' meddwn i. 'Aderyn Albanaidd yw hi.'

Gwgodd Iona arnaf eto. 'A sut mae hi mor Albanaidd os yw hi'n treulio hanner y flwyddyn mewn gwlad arall?'

Clipiodd Hamish y fodrwy ar ei choes a chwerthin. 'Ry'ch chi fel hen bâr priod, yn cweryla â'ch gilydd o hyd.'

'Iona sy'n ennill,' chwarddodd Dad. 'Iris yw'r enw.'

Gwgais arno.

'Felly, Iona,' meddai Hamish, 'hoffet ti adael i Iris fynd?'

Edrychodd Iona arnaf. 'Dwi'n meddwl mai Callum ddylai wneud.'

'Wyt ti o ddifri?' meddwn i.

'Fe achubon ni'n dau hi,' meddai hi gan wenu.

'O'r gorau, 'te,' meddai Hamish. 'Dyma ti, Callum, does dim angen menig arnat ti. Dal hi fel hyn.'

Lapiais fy nwylo am adenydd y gwalch. Roedd y plu uchaf yn llyfn ac yn feddal, ond gallwn deimlo'r plu hedfan fel weiren gref o dan fy mysedd.

'Dal hi'n dynn, cofia,' meddai Hamish. 'Tro i wynebu'r gwynt a'i thaflu hi mor uchel ag y medri di.'

Trois Iris i wynebu'r gwynt. Tynhaodd ei chorff i gyd o dan fy nwylo. Roedd ei chyhyrau hi'n dynn ac yn galed. Crychodd y gwynt y plu meddal ar ei phen a syllodd ar yr awyr uwch ben.

'Nawr,' meddai Hamish.

Taflais hi i fyny. Ffrwydrodd hi o'm dwylo yn adenydd ac yn blu i gyd. Teimlais awel gref yn erbyn fy wyneb wrth iddi guro'i hadenydd.

I fyny â hi, gan hedfan i'r heulwen.

Troellodd un bluen i'r ddaear.

Roedd hi'n rhydd.

Pennod 13

Es i â beic Rob yn ôl iddo bore wedyn.

'Dwi wedi'i lanhau,' meddwn i.

Roedd Rob i lawr yn y pentref gydag Euan a dyrnaid o fechgyn o'r ysgol. Roedden nhw'n cicio pêl ar y tir garw caregog islaw'r parc.

Edrychodd Rob i lawr ar ei feic. 'Nid rhyw hen feic rhad yw hwnna. Fe fu Dad bron â fy lladd i pan es i adre hebddo fe neithiwr.'

'Dwi'n gwybod,' meddwn i. 'Mae'n ddrwg gen i.'

'Beth oedd *hi* eisie, ta beth?' gofynnodd Rob.

'Pwy, Iona?' meddwn i. Codais fy ysgwyddau. 'Dim byd.'

'Fe arhoson ni am oesoedd ond ddest ti ddim 'nôl,' meddai Rob. 'I ble'r aethoch chi? Beth fuoch chi'n wneud?'

'Dim byd,' meddwn i'n bigog. 'Gad hi, wnei di?'

'Hei, Callum,' gwaeddodd Euan, 'mae angen gôl-geidwad arnon ni. Wyt ti'n chware?'

Ciciodd Euan y bêl ataf ond gadewais iddi rolio heibio ac i'r ffos.

'Neu falle dy fod ti eisie mynd 'nôl at dy gariad?' meddai Rob.

Cydiais ynddo gerfydd ei got. 'Cau dy geg, Rob!' bloeddiais.

Roedd ein hwynebau ni'n agos iawn at ei gilydd.

'Dyw hi ddim yn hanner call,' meddai Rob.
'Fe ddwedaist ti hynny dy hunan.'

Ffrwydrais.

Rhoddais ergyd iddo, reit yn ei wyneb.

Cododd Rob yn drwsgl ac ymosod arnaf. Dyna lle roedden ni, yn bwrw ac yn cicio ein gilydd ar ben ei feic. Clywais ei gyfrifiadur beic yn cracio wrth hollti ar agor o dan fy nghefn. Yna cyrhaeddodd Euan, gan dynnu Rob i ffwrdd cyn i'r bechgyn eraill ymgasglu o'n cwmpas.

'Cer, Callum,' meddai Euan. Cydiodd yn Rob gerfydd ei fraich. 'Cer, wnei di?'

Rhythodd Rob a minnau ar ein gilydd. Allwn i ddim dweud ai golwg wedi brifo neu olwg gas oedd yn ei lygaid, ond doedd dim gwahaniaeth gen i. Trois a cherdded i fyny'r ffordd allan o'r pentref heb edrych yn ôl.

* * *

Pan gyrhaeddais y llyn, roedd Land Rover Dad wedi'i barcio ar y lan bellaf wrth y tŷ coeden. Roedd Iona'n eistedd ar y boned ac yn yfed siocled poeth.

Roedd ganddi fwstas trwchus brown o siocled ar ei gwefus uchaf. 'Beth wyt ti wedi'i wneud i dy wyneb?' gofynnodd.

Sychais fy ngheg â'm llawes. Gadawodd linell o waed, mwd, a phoer. 'Dim byd,' meddwn i.

Rhoddodd hances boced i mi a cheisiais olchi'r rhan fwyaf ohono i ffwrdd. Daeth sŵn curo a morthwylio o'r canghennau uwchben.

'Roedd dy dad yn meddwl bod angen ychydig o waith i wella'r goeden,' meddai Iona.

'Fe soniaist ti wrtho amdani?' meddwn i.

Nodiodd Iona. 'Mae e'n gwybod am y gweilch,' meddai, 'felly does dim llawer o wahaniaeth.'

Gallwn weld traed Dad drwy'r dail. Ro'n i'n meddwl i ddechrau y gallai'r sŵn curo godi ofn ar y gweilch, ond pan edrychais draw at yr ynys gallwn weld pen Iris yn codi o'r nyth, yn ein gwylio ni.

'Mae'r gweilch yn meddwl mai aderyn mawr rhyfedd yw dy dad,' chwarddodd Iona. 'Wyt ti wedi gweld beth mae e'n ei wneud lan yn y goeden?'

Dringais ysgol Dad i mewn i'r goeden a gweld planciau pren o bob lliw a llun yn gorffwyso ar y canghennau. Roedd Graham a Hamish yn y goeden hefyd. Roedden nhw wedi adeiladu llwyfan llydan a nawr roedden nhw'n adeiladu ochrau'r tŷ coeden.

'Beth wyt ti'n feddwl, Callum?' meddai Dad.

'Gwych,' meddwn i, gan edrych o gwmpas. Ac roedd e hefyd. Roedd Dad, Hamish a Graham wedi'i adeiladu o gwmpas y prif foncyff ac roedd hi'n amlwg yn barod y byddai'n dŷ anferth. 'Fe allwn i fyw lan fan hyn.'

'Dyna'r syniad, Cal,' meddai Graham. 'Dyma ffordd Mam a Dad o gael gwared arnat ti.'

Gwenais arno. Roedd e'n gosod y colfachau yn y drws trap yn llawr y tŷ coeden. 'Diolch, Graham,' meddwn i, o ddifrif.

Rhoddon ni'r gorau i weithio i gael cinio. Aeth Dad â ni adref i'r ffermdy yn y Land Rover, pawb wedi'u gwasgu at ei gilydd ar hyd y sedd flaen. Daeth glaw mân fel niwl dros y ffenest flaen a diflannodd y bryniau o'r golwg. Estynnodd Iona ei thraed noeth ar y dashfwrdd a chynhesu ei thraed yn yr aer poeth o'r awyrellau.

'Dewch i mewn, bawb,' meddai Mam. 'Ry'ch chi'n wlyb at y croen, bob un ohonoch chi.'

I mewn â ni i'r gegin, a'r tawch yn codi o'n dillad yn yr aer poeth.

'Aros i gael cinio, Hamish,' meddai Mam. 'A beth amdanat ti, Iona? Wnei di aros?'

Nodiodd Iona. 'Gwnaf, plis, Mrs McGregor.'

'Wyt ti eisie i fi ffonio dy dad-cu?' gofynnodd Mam.

'Fe wna i,' meddai Iona. Aeth â'r ffôn allan i'r cyntedd.

Trodd Mam ataf i. 'Mae hwnna'n gwt cas ar dy wefus di, Callum,' meddai.

Codais fy mys at fy ngwefus ble roedd Rob wedi rhoi ergyd i mi. Roedd hi'n teimlo'n boenus ac wedi chwyddo. 'Cwympo oddi ar y beic wnes i,' meddwn i. Edrychais arni a gallwn weld ei bod hi'n gwybod fy mod i'n dweud celwydd.

'Cer i ymolchi, 'te,' meddai.

Wrth i mi fynd i'r ystafell ymolchi, dyna lle roedd Iona ar y grisiau a'r ffôn yn ei dwylo.

'Dwyt ti ddim wedi'i ffonio fe, wyt ti?' meddwn.

'Paid â dweud wrth dy fam, wnei di?'

'Fydd e ddim yn poeni lle rwyt ti?' gofynnais.

Ysgydwodd ei phen a gwgu.

'Mae tad-cu'n anghofio pethe. Beth bynnag, mae e siŵr o fod yn cysgu.'

I ginio cawson ni gig oen rhost, tatws rhost, moron, pys a grefi brown trwchus. Roeddwn i'n meddwl 'mod i wedi bwyta'n dda, ond cafodd Iona ragor o bopeth, a rhagor eto. Llwyddodd hi i fwyta powlen enfawr o bwdin triog a chwstard arbennig Mam hyd yn oed.

Eisteddodd Hamish yn drwm ar yr hen soffa wrth y ffwrn. Caeodd ei lygaid a phlethu ei ddwylo ar ei stumog. 'Roedd hwnna'n wych,' ochneidiodd. 'Symuda i ddim am wythnos nawr.'

'Wel, does dim llawer o bwynt mynd i unman beth bynnag,' meddai Dad. 'Mae'r glaw wedi cau amdanon ni.'

Edrychais allan dros y buarth. Roedd llen o law yn cuddio'r ysgubor, a hyrddiadau o wynt yn taflu'r diferion glaw yn erbyn y ffenest. Doedd mynd i weld y gweilch, hyd yn oed, ddim yn ddigon o demtasiwn ar dywydd fel hyn.

Llwythodd Iona a minnau'r peiriant golchi llestri, ac aeth Mam ati i glirio'r bwrdd.

'Fe fyddwn i'n dwlu byw ar fferm,' meddai Iona. 'Roedd fferm gan Dad-cu, on'd oedd e?'

'Oedd, wir,' meddai Mam. 'Roedd dy dad-cu a thad-cu Callum yn adnabod ei gilydd yn dda.'

Agorodd llygaid Iona. 'Oedden nhw?'

Nodiodd Mam. 'Roedden nhw'n ffrindiau ac yn cystadlu yn erbyn ei gilydd. Roedd y ddau yn bridio defaid wyneb du Albanaidd ac yn eu dangos yn y sioeau mawr i gyd.'

'Wyddwn i ddim o hynny,' meddwn.

Golchodd Mam y clwtyn llestri o dan y tap. 'Mae gen i flwch o hen ffotograffau Tad-cu yn yr atig,' meddai hi. 'Fe af i i weld a alla i ddod o hyd iddyn nhw.'

Eisteddodd Iona a minnau wrth fwrdd y gegin a'n cefnau yn erbyn y rheiddiadur ac aros amdani wrth iddi fynd i chwilio.

'Dyma nhw,' meddai Mam. Rhoddodd hen flwch cardfwrdd ar y bwrdd. Roedd arogl llwydni, llygod bach a pheli camffor arno. 'Does neb wedi edrych ar y rhain ers blynyddoedd.'

Tynnodd Mam amlenni mawr brown allan ac edrych ynddyn nhw. 'Dyma chi,' meddai, gan wenu'n braf. 'Dyna'r ddau, ochr yn ochr.'

Ffotograff du a gwyn oedd hwn o sioe amaethyddol gyda'r dyddiad 1962. Roedd rhes o ffermwyr yn dal defaid ac yn aros i rywun eu barnu nhw.

'On'd y'n nhw'n edrych yn ifanc?' meddai Mam. 'Dyna dy dad-cu di fan'na.'

Syllodd Iona ar y ffotograff. 'Mae e'n edrych yn hapus iawn, on'd yw e?'

Gwenodd Mam. 'Fe gei di ei gadw fe, os wyt ti eisie.'

Edrychodd Iona a minnau drwy ragor o ffotograffau. Lluniau o'r fferm oedd llawer ohonyn nhw, a phobl mewn dillad rhyfedd hen ffasiwn. Doedd Mam hyd yn oed ddim yn gwybod pwy oedd rhai ohonyn nhw.

Edrychais draw ar Iona. Roedd hi'n cydio mewn ffotograff a gallwn weld ei fod yn hen iawn, yn frown ac wedi pylu. Allwn i ddim gweld yn iawn, ond roedd llygaid Iona'n disgleirio.

'Dwyt ti ddim yn mynd i gredu hyn, Callum,' meddai, gan ddal y ffotograff i fyny. 'Nag wyt, wir i ti.'

Pennod 14

'Rhyfeddol,' meddai Dad. 'Wyddwn i ddim byd am hyn.'

'Anhygoel!' meddai Hamish.

Syllais dros ysgwydd Iona ar yr hen ffotograff yn ei dwylo. Llun o lyn oedd e, ein llyn ni, a'r dyddiad 1905 arno. Dyna lle roedd yr ynys greigiog a chlwstwr o goed, nid pinwydd yn unig ond hefyd coed bach wedi'u plygu gan y gwynt, a llwyni. Ond yno, yn ddi-os, ar y binwydden dalaf roedd pentwr o frigau. Nyth gweilch y pysgod oedd e, yn amlwg, un llawer mwy na'r un roedd Iris a'i chymar wedi'i adeiladu.

'Alla i ddim credu bod gweilch wedi bod gyda ni ar y fferm hon o'r blaen,' meddai Dad. 'Dros gan mlynedd 'nôl.'

'Mae'n rhaid eu bod nhw gyda'r rhai ola,' meddai Hamish. 'Doedd dim cofnod o nythod o gwbl yn yr Alban rhwng tua 1910 a dechrau'r 1950au.'

Ysgydwodd Mam ei phen. 'Dwi ddim yn deall sut mae pobol yn gallu eu saethu nhw, neu ddwyn eu hwyau nhw.'

'I'w rhoi mewn casgliadau personol ac i gael arian,' meddai Hamish. 'Mae rhai pobol yn fodlon gwneud hyn heddiw os cawn nhw hanner cyfle, ac mae rhai yn eu gwenwyno nhw oherwydd eu bod nhw'n meddwl eu bod nhw'n mynd â gormod o bysgod.'

'Y diawled,' meddai Dad.

'Mae'n rhaid i ni gadw ein nyth ni'n gyfrinach,' meddai Iona. 'Pob un ohonon ni.'

'Rwyt ti yn llygad dy le,' meddai Hamish. 'Mae'n bwysig bod pobol yn cael gweld gweilch mewn gwarchodfeydd diogel, ond yr unig ffordd i gynyddu eu niferoedd yw mewn nythod fel hwn, rhai cyfrinachol a chuddiedig.'

'Wel, dwi'n meddwl y byddai Tad-cu'n falch iawn ohonot ti, Iona,' meddai Graham gan wenu. 'Fe gei di fod yn aelod anrhydeddus o'r fferm.'

Gallech chi gredu bod Graham wedi rhoi darn o'r haul i Iona, yn ôl y ffordd y gwenodd hi'n ôl arno.

'A sôn am Dad-cu,' meddai Mam. 'Dwi'n meddwl y bydd dy dad-cu di'n poeni ble rwyt ti.'

'Ro i lifft adre i ti,' meddai Hamish. 'Mae'n bryd i fi fynd.'

Rhoddodd Mam sanau trwchus a siaced roeddwn i wedi tyfu'n rhy fawr iddi i Iona. Lapiodd hanner cacen ffrwythau iddi hefyd. Pan ddywedodd Iona nad oedd angen, dywedodd Mam fod gormod yno i Dad ei fwyta; roedd e'n ddigon tew yn barod, meddai. Winciodd Dad ar Iona a mwytho'i fola, a chwarddodd Iona.

Pheidiodd y glaw ddim y diwrnod hwnnw. Ar ôl i Iona fynd, es i'm hystafell wely a chwilio o dan fy ngwely am hen lyfr lloffion roeddwn i wedi'i gael ychydig flynyddoedd ynghynt. Dim ond ychydig o gardiau bwystfilod roeddwn i wedi'u rhoi ynddo. Tynnais nhw allan ac ysgrifennu 'Y Gweilch ar ein Fferm ni' mewn llythrennau bras.

Efallai y gallwn i gadw cofnod ohonyn nhw ar gyfer pobl eraill mewn can mlynedd. Yna ysgrifennais mewn llythrennau llai, 'Dyddiadur Iris.'

Agorais fy nghyfrifiadur a theipio'r cod roedd Hamish wedi'i roi i ni ar gyfer Iris. Roedd yn anhygoel. Ar Google Earth, roedd ei safle wedi'i nodi'n union ar yr ynys ynghanol y llyn am 17.00 GMT. Roedd Hamish wedi dweud mai 'Amser Safonol Greenwich' oedd GMT, amser Llundain. Edrychais drwy'r ffenest a chrynu. Gwyddwn y byddai Iris yn gori ar ei hwyau. Doedd dim cysgod iddi yno.

Roeddwn i eisiau nodi lle roedd hi'n union yn y llyfr lloffion, ond allwn i ddim. Teimlwn y byddwn i'n gollwng y gath o'r cwd, yn datgelu'r gyfrinach, petawn i'n gwneud hynny. Felly gludiais ychydig o ffotograffau roedd Hamish wedi'u rhoi i mi ac ysgrifennu, '17.00 GMT. Y nyth, safle cyfrinachol. Yr Alban.'

Gorweddais ar fy ngwely a gwrando ar y glaw. Caeais fy llygaid a cheisio dychmygu fy hunan i fyny fry ar y nyth. Ceisiais ddychmygu'r dafnau glaw yn llithro dros fy mhlu, a'r nyth yn siglo yn nannedd y gwynt oedd yn chwythu o'r mynyddoedd a chwipiwyd gan y glaw.

8 Mai

17.00 GMT

SAFLE'R NYTH

LLEOLIAD CYFRINACHOL. YR ALBAN

Lledodd Iris ei hadenydd dros y nyth. Roedd y glaw yn rhedeg i lawr ei phlu hedfan hir ac yn treiddio drwy'r ddrysfa o frigau i'r canghennau oedd wedi'u staenio'n dywyll gan y dŵr. Roedd yr wyau'n gynnes ac yn sych oddi tani, wedi'u cysgodi yn eu gwely o fwsogl a mân-blu meddal.

Roedd y goeden yn cwyno ac yn ochneidio wrth i'r corwynt ei chwipio. Gallai Iris deimlo patrymau'r aer yn newid o'i hamgylch, a phwysau'r storm oedd yn ddwfn ac yn gau. Roedd yn gwneud i'w hesgyrn a'i brest wynio. Cydiodd ei chrafangau'n dynn yn y cwlwm o frigau, a gwasgodd ei hun yn ddyfnach yn erbyn ei hwyau.

Roedd un droed yn dal yn boenus. Gwingodd wrth feddwl am y bobl oedd wedi ei dal hi. Roedden nhw wedi cyffwrdd â hi ac wedi agor ei hadenydd. Roedd y bachgen wedi edrych yn ddwfn i'w llygaid ac roedd hithau wedi syllu'n ôl arno, gan sylwi ar dirlun dieithr ei wyneb.

Nawr eisteddai Iris yn ddiogel yn y nyth, a'r gwynt yn udo a'r glaw yn pistyllio o'i chwmpas. Roedd y bobl wedi gadael y cwm unwaith eto. Roedd anadl sur eu peiriant wedi hen ddiflannu dros y bryn.

Ond roedd hi'n dal i gofio'r bachgen, y bachgen oedd wedi cydio ynddi a lleddfu ei phoen. Ef oedd wedi rhoi'r awyr yn ôl iddi. Rywle'n ddwfn y tu mewn iddi, plygodd Iris dirlun ei wyneb i fynyddoedd, awyr ac afonydd ei henaid.

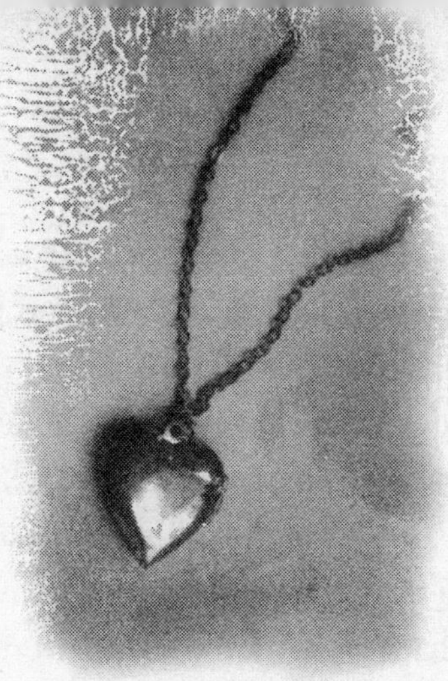

Pennod 15

Roeddwn i'n falch pan ddechreuodd gwyliau'r haf, i mi gael treulio'r rhan fwyaf o'r amser gyda Iona ar lan y llyn. Prin roedd Rob a minnau wedi siarad. Roeddwn i wedi cynnig ugain punt iddo i dalu am y cyfrifiadur beic a dorrodd pan fuon ni'n ymladd, ond gwrthododd ei gymryd. Dywedodd ei fod yn difaru iddo wastraffu amser yn ymladd â rhywun mor anobeithiol â mi. Doedd dim amynedd gen i gydag yntau, chwaith. Ond roeddwn i'n teimlo trueni dros Euan. Gofynnodd a allai bysgota ar ein llyn ni, fel roedd e'n gwneud bob haf, ond gwnes innau ryw esgusodion gwael er mwyn iddo beidio â dod. Doeddwn i ddim eisiau mentro bod rhywun arall yn gweld y gweilch.

Felly byddai Iona a minnau'n mynd i'r tŷ coeden bron bob dydd. Roedd Dad a Graham wedi gorffen y tŷ gyda chymorth Hamish. Roedd byrddau a phlanciau o bren wedi'u hoelio at ei gilydd i godi'r ochrau, ac roedd y to wedi'i wneud o ddarn o haearn rhychiog o hen dwlc mochyn. Aethon ni ati i stwffio sachau i'r bylchau i gyd. Roedd Dad wedi rhoi dwy stôl wrth y ffenest lydan a'i chaeadau pren a oedd yn edrych dros y llyn a'r mynyddoedd. Roedd e wedi codi silff a gosod cist bren fawr roedden ni'n ei defnyddio fel bwrdd a lle i gadw ein llyfrau adar a phaent a llyfrau nodiadau Iona. Gorchuddiodd Graham y to â hen iorwg a changhennau marw, felly roedd hi bron yn amhosib gweld y tŷ o'r tu allan. Roedd e'n berffaith.

Tynnais fy hun i fyny drwy'r drws yn y llawr.

'Gofiaist ti'r pinnau bawd?' gofynnodd Iona.

'Do,' meddwn i. 'Ac yn well na hynny, dwi wedi dod â bwyd. Fe wnaeth Mam ychydig o frechdanau i ni. Pam rwyt ti eisie pinnau bawd, ta beth?'

Pwyntiodd Iona at waliau'r tŷ coeden. 'Mae'n rhaid i ni addurno'r lle,' meddai, 'fel ei fod yn perthyn i ni.'

'Sut?' gofynnais.

'Dwi'n mynd i osod rhai o'r lluniau dwi wedi'u tynnu o'r gweilch ar y waliau. Dyma ti,' meddai, gan roi pentwr o luniau i mi. 'Dyma un o'r cyw pan oedd e'n fach.'

Edrychais ar y llun a'r dyddiad, y pedwerydd ar bymtheg o Fehefin wedi'i nodi arno. Llun o un cyw anniben yr olwg yn gwthio'i ben dros ymyl y nyth. Dim ond ychydig o wythnosau oedd ers iddo gael ei eni. Roeddwn i'n cofio'r diwrnod hwnnw'n glir. Dyna'r tro cyntaf i ni gael golwg iawn arno. Ond roedden ni'n drist hefyd achos roedden ni'n gwybod wedyn nad oedd y ddau wy arall wedi deor.

'Alla i ddim credu faint mae e wedi tyfu ers hynny,' meddwn. Rhoddais y llun ar un o'r waliau pren, nesaf at lun diweddarach o'r cyw yn cael ei fwydo gan Iris.

'A dyma'r llun wnes i heddi,' meddai Iona. Daliodd lun newydd i fyny a'r ail o Awst wedi'i ysgrifennu arno. Roedd yn dangos y cyw yn agor ei adenydd. Roedd bron mor fawr â'i rieni erbyn hyn a doedd dim llawer o le yn y nyth pan fyddai'n agor a chau ei adenydd. Roedd ei blu'n dal yn lliw hufen a brown, ac roedd ei lygaid yn oren dwfn, nid yn felyn.

'Edrych,' meddai Iona, gan bwyntio drwy'r ffenest. 'Mae e'n rhoi cynnig arall arni.'

Eisteddon ni ac edrych allan dros y llyn. Roedd y nyth yn llachar yn heulwen diwedd y bore. Estynnais yn fy mag i nôl fy minocwlars.

'Fe ddwedaist ti fod brechdanau gyda ti, on'd do?' meddai Iona. 'Dwi'n llwgu.'

Taflais becyn o frechdanau ati, pwyso fy mhenelinoedd ar sil y ffenest ac edrych ar y nyth drwy'r binocwlars.

Roedd y cyw'n sefyll ar ymyl y nyth, yn agor a chau ei adenydd enfawr, ac yn profi'r gwynt. Cododd fymryn oddi ar y nyth, gan hofran yn union uwch ei ben. Gallem glywed un o'i rieni'n galw mewn coeden arall, yn ei annog.

'Hedfana,' sibrydodd Iona.

Aeth lawr i'r nyth eto, gan sefyll yn union ar yr ymyl. Yna, fel petai wedi penderfynu, agorodd ei adenydd a chodi i'r awyr, cyn plymio i lawr tua'r llyn.

Daliais fy anadl.

Curodd y cyw ei adenydd sawl gwaith. Cododd i fyny o'r llyn a hedfan o gwmpas uwchben y coed. Hedfanodd rownd a rownd sawl gwaith, dros y goedwig, a'i adenydd mawr yn curo a churo i'w gadw yn yr awyr. Gwylion ni wrth iddo geisio glanio ar gangen denau coeden wrth ymyl y nyth, ond plygodd y gangen oddi tano. Cododd unwaith eto, gan hedfan tuag at y nyth y tro hwn. Estynnodd ei goesau hir a chrynodd yn yr awyr fel hofrennydd ar ddiwrnod gwyntog iawn. Methodd amseru'r glanio, a chwympodd ar y nyth yn drwsgl a chodi ar ei eistedd, gan wthio'i blu i'w lle unwaith eto.

'Mae hedfan yn hawdd,' chwarddais. 'Glanio sy'n anodd.'

Gwenodd Iona. 'Mae'n bryd tynnu llun newydd,' meddai. Aeth i'r gist i nôl ei blwch o stwff arlunio.

'Ble cest ti'r holl baent 'na?' gofynnais. Roedd ganddi fwy o duniau a photiau nag o'r blaen.

'Roedd Mrs Wicklow yn clirio'r ystafell arlunio a daeth hi â nhw i'r tŷ fel anrheg ben-blwydd i mi,' meddai.

'Wyddwn i ddim ei bod hi'n ben-blwydd arnat ti,' meddwn i.

'Wel, wythnos nesa,' meddai Iona. 'Ond allwn i ddim aros i ddefnyddio'r paent.'

Daeth Iona o hyd i ddalen newydd o bapur a dechrau braslunio.

Cefais gip ar y llun. Roeddwn i'n meddwl y byddai hi'n tynnu llun y cyw'n hedfan am y tro cyntaf, ond yn lle hynny roedd hi'n tynnu llun Iris ar goeden ym mhen draw'r llyn.

'Mae Hamish yn meddwl y bydd hi'n cychwyn am Affrica cyn bo hir,' meddai Iona.

Edrychais dros y llyn lle roedd Iris yn eistedd mewn hen goeden farw. Roedd hi'n disgleirio yn erbyn y goedwig dywyll.

'Ar y goeden bella 'na mae Iris yn eistedd drwy'r amser nawr, yntê?' meddwn i.

'Dwi'n meddwl ei bod hi'n edrych yn drist,' meddai Iona.

'Aderyn yw hi,' meddwn. 'Sut gall hi edrych yn drist?'

Cododd Iona ei hysgwyddau a dal ati i weithio ar ei llun. 'Dwi'n meddwl ei bod hi,' meddai Iona. 'Mae hi'n gwybod ei bod hi'n methu aros er ei bod hi eisie. All hi ddim peidio. Fe fydd hi'n gadael ei chyw ac yn mynd.'

Chwarddais. 'Fydd hi ddim yn meddwl am y peth, hyd yn oed.'

Cydiodd Iona yn ei llun, ei wasgu'n belen a'i daflu ar draws y llawr. I lawr â hi drwy'r drws yn y llawr a rhedeg i ffwrdd o'r tŷ coeden.

'Iona,' galwais, ond roedd hi wedi diflannu i'r coed yn barod.

Gwelais hi wrth yr afon yn y diwedd. Roedd hi'n eistedd ar garreg, a'i phen yn ei phlu, yn gwthio'i chyllell boced i rywbeth oedd yn ei llaw.

'Fe ddaw hi 'nôl, Iona,' meddwn i.

Trodd Iona. Roedd dagrau'n llifo i lawr ei bochau. 'Wnaiff hi?'

Roedd y loced aur yn agored yng nghledr ei llawr. Roedd sgathriadau dwfn ar lun wyneb ei mam.

Eisteddais yn agos ati. 'Fe ddaw dy fam i dy nôl di, Iona,' meddwn i.

Caeodd Iona'r loced yn glep a sychu'r dagrau o'i hwyneb. 'Na wnaiff,' meddai. Ysgydwodd ei phen. 'Ddaw hi byth i fy nôl i.'

PENNOD 16

Soniais wrth Mam am ben-blwydd Iona a mynnodd wneud teisen. Roeddwn i wedi dweud wrthi am beidio â ffysian, ond wythnos yn ddiweddarach roedden ni'n eistedd o gwmpas bwrdd y gegin yn canu 'Pen-blwydd Hapus i Iona' ac yn ei gwylio hi'n chwythu'r canhwyllau ar ei theisen.

'Wnest ti ddymuniad?' meddai Mam.

Nodiodd Iona a thorri'r deisen. Codai mwg du tenau o'r canhwyllau. 'Ddweda i ddim wrthoch chi beth yw e neu ddaw e ddim yn wir,' meddai. Daliodd y darn cyntaf o deisen i fyny. 'Pwy sy eisie darn?'

Estynnodd Hamish dros fwrdd y gegin. 'Fe gaf i ddarn,' meddai, 'yn gyfnewid am hwn.' Rhoddodd barsel wedi'i lapio mewn papur sgleiniog i Iona.

'I fi?' meddai. Rhwygodd y papur, a'i llygaid yn disgleirio. 'Waw, llyfr am adar ysglyfaethus. Diolch, Hamish.'

'Ac mae rhywbeth bach oddi wrthon ni,' meddai Mam.

Cododd Dad barsel mawr allan o dan y bwrdd. 'Dyma ti. Gobeithio y byddi di'n eu hoffi nhw.'

'Dwi erioed wedi cael cymaint o anrhegion,' meddai Iona. Tynnodd y papur lapio ac agor y bocs oedd y tu mewn. 'Diolch!'

Edrychais y tu mewn i'r bocs a bu bron i mi dagu. Roedd Mam wedi prynu pâr o esgidiau cerdded pinc â lasys porffor i Iona. 'Maen nhw wir yn ofnadwy,' meddwn i.

Ond daliodd Iona'r esgidiau'n uchel, a gwên fawr ar ei hwyneb. 'Dwi'n dwlu arnyn nhw,' meddai. 'Dwi wir yn dwlu arnyn nhw.'

Estynnodd Mam sanau i Iona. 'I ti mae'r rhain hefyd. Rho'r esgidiau am dy draed, i gael gweld a ydyn nhw'n ffitio.'

Gwisgodd Iona'r sanau a llithro'i thraed i mewn i'r esgidiau. 'Maen nhw'n berffaith,' meddai. 'Sut o'ch chi'n gwybod pa faint i'w brynu?'

Edrychodd Mam ar Dad a gwenu. 'Ei syniad e oedd e,' meddai. 'Fe fesurodd e olion dy draed noeth di yn y mwd.'

Cymerodd Graham ail ddarn o deisen. 'Mae'n ddrwg gen i na phrynais i ddim byd i ti, Iona. Ond galla i gynnig reid ralïo o gwmpas y fferm ar gefn beic cwad i ti.'

'Na, dim gobaith,' meddai Mam yn bendant.

Gwthiodd Graham y deisen i'w geg a wincio ar Iona.

Arllwysodd Mam baneidiau o de a rhoi rhagor o gacennau ar y bwrdd. 'Mae'n drueni nad oedd dy dad-cu'n gallu dod draw hefyd.'

Nodiodd Iona, gan gasglu'r briwsion gludiog ar ei phlât â'i bys. 'Roedd e'n brysur.'

Roeddwn i'n gwybod nad oedd hi eisiau i Mam ofyn cwestiynau. 'Beth am fynd am dro yn dy esgidiau newydd?' meddwn i.

'Ga i?' meddai Iona.

'Cei, wrth gwrs,' gwenodd Dad. 'Beth am i ti a Callum ddringo'r bryn?'

Es i nôl fy esgidiau a dilyn Iona allan i'r buarth. Roedd hi'n neidio yn yr unfan, yn disgwyl amdanaf.

'Dwyt ti ddim wir yn eu hoffi nhw, wyt ti?' meddwn i. 'Maen nhw'n binc!'

Cerddodd Iona yn ei blaen, gan gamu'n ofalus ar ddarnau cul o fwd oedd wedi caledu. 'Pinc yw fy hoff liw i.'

Gwgais arni. 'Dwyt ti erioed wedi sôn.'

Chwarddodd hithau. 'Dwyt ti erioed wedi gofyn.'

Gwthiais hi tuag at bwll o fwd a rhedeg yn fy mlaen.

'Hei, gwylia!' gwaeddodd. 'Dwi ddim eisie iddyn nhw drochi.'

Rhedon ni i fyny rhan fwyaf serth y bryn i'r wal gerrig oedd yn rhedeg ar hyd ymyl uchaf y cae. Roedd yr haul yn boeth ar ein cefnau ac roedd ein hanadl yn fyr erbyn i ni gyrraedd y wal. Roedd defaid yma a thraw dros yr esgair oedd yn gwahanu ein fferm ni oddi wrth y cwm y tu hwnt iddi lle roedd y llyn a'r gweilch.

Llyfodd Iona ei bys a cheisio rhwbio'r mwd oddi ar flaen un o'i hesgidiau. 'Trueni bod ysgol gyda ni wythnos nesaf,' meddai.

'Dwi'n gwybod,' meddwn i. Byddai popeth yn teimlo'n wahanol yn ôl yn yr ysgol, roeddwn i'n gwybod hynny.

'Dim ond canol mis Awst yw hi,' meddai Iona. 'Pan o'n i'n byw yn Llundain, do'n i ddim yn mynd 'nôl i'r ysgol tan fis Medi.'

Codais gerrig mân a cheisio'u taflu cyn belled ag y gallwn i lawr y bryn. 'Dyna'r Alban i ti,' meddwn i.

'Wyddost ti beth ddylen ni ei wneud cyn mynd 'nôl i'r ysgol?' meddai Iona.

'Beth?' Trois i edrych arni. Roedd gwên fawr ar ei hwyneb.

'Aros noson yn y tŷ coeden.'

'Fyddai Mam byth yn gadael i fi wneud,' meddwn i.

'Paid â dweud wrthi,' meddai Iona. 'Fydd Tad-cu ddim yn sylwi 'mod i wedi mynd. Fe sleifiwn ni'n dau allan a chwrdd yno.'

Meddyliais am gysgu yn y tŷ coeden, yn y tywyllwch a holl synau'r nos o'n cwmpas ni, a deffro a gweld y wawr yn torri. Roedden ni wedi siarad am y peth o'r blaen, ond byth o ddifrif. Nawr roedd hwn yn ymddangos fel y syniad gorau erioed.

'O'r gorau,' meddwn i. 'Nos Sadwrn sy'n dod.'

Gwenodd Iona. 'Paid â dod i'r tŷ coeden tan hynny,' meddai. 'Mae'n rhaid i mi baratoi rhywbeth ar gyfer nos Sadwrn, syrpréis.'

'Beth?' gofynnais.

Chwarddodd. 'Fe gei di weld.'

Trois i fynd i lawr y bryn, ond galwodd Iona fi'n ôl.

'Heddiw,' meddai. 'Y diwrnod ar ei hyd. Dyma'r pen-blwydd gorau erioed.'

Gwenais arni. 'Dere!' bloeddiais. 'Ras 'nôl i'r tŷ!'

Pennod 17

Y dydd Sadwrn hwnnw rhoddais ddwy sach gysgu, dwy dortsh, un o gacennau ffrwythau Mam a chreision roeddwn i wedi'u bachu o'r gegin yn fy rycsac. Roeddwn i wedi trefnu cwrdd â Iona yn y tŷ coeden, dod yn ôl i gael swper, a sleifio allan eto cyn nos.

'Wyt ti'n bwriadu rhedeg i ffwrdd?' gofynnodd Mam.

Oedd hi'n gwybod? Edrychais arni ond roedd hi'n gwenu.

'Rwyt ti'n edrych fel petait ti'n mynd i ffwrdd am wythnos,' meddai.

Llithrais o gwmpas pen draw bwrdd y gegin. 'Pethau i'r tŷ coeden, dyna i gyd,' meddwn i.

'Wel, paid â bod yn hir,' meddai. 'Mae glaw ar y ffordd. Mae'r tywydd poeth 'ma'n mynd i dorri cyn bo hir.'

'Fe fydda i 'nôl erbyn swper,' meddwn i.

Cerddais allan o'r gegin oer i don o wres yr haf. Roedd yr aer yn llonydd oherwydd y gwres. Roedd Kip ac Elsie, cŵn y fferm, yn gorwedd yn llonydd yng nghysgod eu cwb. Agorais y bibell ddŵr a dyma nhw'n cnoi'r llif o ddŵr gloyw wrth iddo dasgu yn eu powlenni. Roedd y defaid wedi gwasgu'n dynn i'r cysgod ar hyd y wal gerrig hyd ymyl y caeau uchaf. Roedd y borfa'n frown ac yn sych ac roedd gwybed yn suo uwchben y gwair.

Roeddwn i'n falch o gael cyrraedd cysgod y coed ar hyd y llwybr wrth y llyn.

Roeddwn i wedi bod yn meddwl am y syrpréis roedd Iona wedi sôn amdano. Oedd hi'n disgwyl amdanaf i? Yn fy ngwylio i?

Edrychais i fyny ar y drws yn llawr y tŷ coeden. Roedd ar gau. 'Iona?' galwais.

Dim ateb. Dringais yr ysgol raff a gwthio'r drws ar agor, gan hanner disgwyl ei gweld yn gwenu arnaf. 'Iona, fi sy 'ma!' galwais eto.

Tynnais fy rycsac i fyny i mewn i'r tŷ coeden ac edrych o gwmpas. Doedd Iona ddim yno, ond ar y wal bren gyferbyn â'r ffenest roedd ei syrpréis. Darlun enfawr o walch yn dal pysgodyn. Roedd wedi'i beintio ar y wal ei hun. Roedd pob pluen yno, pob manylyn. Roedd diferion o baent wedi'u gollwng ar hyd y llawr oddi tano. Rhaid ei bod hi wedi treulio oesoedd yn ei wneud.

Tynnais y creision a'r deisen o'r rycsac a'u rhoi nhw ar y bwrdd, a rholio'r sachau cysgu allan ar draws y llawr.

'Iona?' Codais glawr y gist i weld a oedd hi'n cuddio yno, ond doedd dim sôn amdani. Pwysais allan drwy'r ffenest i edrych yn ôl ar hyd y llwybr. Doedd dim golwg ohoni.

Roedd y cymylau wedi troi'n borffor a llwyd, fel clais tywyll yn lledu dros yr awyr. Tua'r de roedd taranau'n chwyrnu dros y mynyddoedd. Byddai Iona'n gwlychu hyd at ei chroen pe na bai'n cyrraedd cyn hir. Efallai ei bod hi wedi anghofio, ond roedd hynny'n beth rhyfedd.

Llithrais i lawr yr ysgol raff yn frysiog a mynd ar hyd y llwybr gan obeithio cwrdd â Iona ar y ffordd. Dilynais y llwybr wrth yr afon i gysylltu â hen lwybrau'r mwynwyr oedd yn mynd i lawr i'r pentref. Ar ochr pwll dŵr wedi sychu roedd pluen hir yn fwd i gyd. Plygais i'w chodi a'i glanhau ar fy llawes. Roedd hi'n wyn hufennog gyda streipiau trwchus brown tywyll, pluen un o'r gweilch.

Rhoddais hi yn un o bocedi fy siorts. Dechreuodd diferion mawr o law daro'r ddaear wrth fy nhraed gan wneud i gymylau bach o lwch godi. Edrychais i fyny ar yr awyr. Roedd cwmwl mawr yn gori uwchben yr esgair, a'i gysgod yn dywyll yn erbyn ochr y bryn. Daeth sŵn taran arall, yn nes y tro hwn. Dechreuais redeg. Roedd yr awyr yn tywyllu, ac wrth i mi gyrraedd y ffordd i mewn i'r pentref dechreuodd y goleuadau stryd oleuo hyd yn oed.

Gallwn weld tŷ Iona ar gyrion y pentref. Bwthyn bach oedd e, gyda gwyngalch oedd wedi troi'n llwyd dros y blynyddoedd. Roedd hen fwthyn arall wedi mynd â'i ben iddo drws nesaf. Efallai fy mod i wedi methu gweld Iona ar y ffordd yma. Efallai ei bod hi wedi cyrraedd y tŷ coeden yn barod. Ond roeddwn i'n siŵr nad oeddwn i wedi methu ei gweld hi. Gwyddwn mai dyma'r llwybr y byddai hi'n ei gymryd. Roeddwn i'n siŵr o hynny.

Rhedais ar hyd y ffordd i'r tŷ ac yna arafu a dechrau cerdded wrth y glwyd agored. Roedd yr ardd ffrynt yn llawn chwyn a gwair tal. Roedd taglys dros yr hen ffrâm gwely rhydlyd yn y gornel, a blodau gwyn fel cyrn drosto i gyd.

Roedd golau pŵl yn dod o'r tŷ. Doeddwn i erioed wedi bod y tu mewn o'r blaen. Roedd Rob a minnau'n arfer herio'n gilydd i guro ar y drws a rhedeg i ffwrdd. Bydden ni'n cuddio yn y llwyni ac yn gwylio'r hen Mr McNair yn ysgwyd ei ffyn yn wyllt yn yr awyr o'r drws ffrynt.

Beth petai Iona ddim yno?

Gallwn deimlo fy nghalon yn curo yn fy mrest.

Cerddais i fyny'r llwybr ac aros wrth y drws. Roedd y paent glas golau'n plisgo oddi arno.

Curais ar y drws ac aros.

Agorodd cil y drws.

Gallwn weld tad-cu Iona, y blew gwyn dros ei wyneb, un llygad goch a llawes ei ŵn gwisgo.

'Beth wyt ti eisie?' Roedd ei anadl yn drewi o wisgi.

Roeddwn i eisiau rhedeg. 'Ydy Iona 'ma?'

Pennod 17

Edrychodd arnaf yn graff drwy'r drws. 'Callum McGregor, ti sy 'na?'

'Ie, Mr McNair.'

Agorodd y drws fymryn yn fwy. 'Dere mewn, os mynni di. Chei di ddim aros yn hir. Dyw Iona ddim yn dda. Ffliw'r haf sy arni. Ro'dd e arna i rai wythnose'n ôl.'

Dilynais ef i'r ystafell ffrynt. Roedd yn rhaid i mi wthio heibio pentyrrau o flychau a hen bapurau newydd. Roedd arogl hen a llaith yn yr ystafell, fel grawn wedi'i ddifetha. Roedd llenni tenau brown wedi'u tynnu dros y ffenest ac roedd lluniau'n fflachio'n dawel ar deledu yn y gornel. Roedd Iona'n eistedd mewn cadair freichiau dan nifer o flancedi. Edrychai'n oer er ei bod hi'n ddiwrnod mor boeth. Roedd mwg o de oer a phlât o dost heb ei fwyta ar y llawr wrth ei hymyl.

Syllodd tad-cu Iona'n gas arnaf o dan ei aeliau trwchus. 'Paid ag aros yn hir.' Cododd botel o wisgi hanner llawn a llusgo'i ffordd heibio. 'Dwi'n mynd i'r gwely nawr, Iona. Galwa fi os bydd angen.'

Eisteddais ar bentwr o hen bapurau newydd wrth ei hymyl.

'Helô, Iona,' meddwn. 'Wyt ti'n iawn?'

'Roedd ffliw arna i pan ddeffrais i'r bore 'ma,' meddai. Sychodd ei thrwyn â hen hances grychlyd ar y gadair freichiau.

Codais focs o hancesi glân o'r llawr iddi.

'Diolch,' meddai. Gorweddodd yn ôl a gwasgu ei bysedd ar ei thalcen.

'Mae'n teimlo fel petai fy mhen yn mynd i ffrwydro. Allwn i ddim cyrraedd y tŷ coeden. Mae'n ddrwg 'da fi.'

''Sdim ots,' meddwn i. 'Rywbryd eto.'

Caeodd Iona ei llygaid yn dynn. Roeddwn i'n gallu gweld ei bod hi'n ceisio peidio â llefain.

Roedd yn rhaid ei bod hi'n teimlo'n eithaf sâl, achos fyddai hi byth eisiau colli'r cyfle i gysgu dros nos.

'Mae'r llun o'r gwalch wir yn dda,' meddwn i.

'Wyt ti'n ei hoffi e?'

Nodiais. Tynnais y bluen o'm poced. 'Fe ddes i o hyd i hwn i ti,' meddwn i.

'Pluen un o'r gweilch,' meddai'n dawel. 'Ble cest ti hi?'

Dechreuais ddweud wrthi, ond gallwn weld nad oedd hi'n gwrando'n iawn. Roedd ei llygaid yn cau ac roedd hi'n hanner cysgu. Eisteddais yno gan wylio'r bobl dawel ar y teledu. Roedd anadl Iona'n fyr ac yn fas. Clywais estyll y llawr i fyny'r grisiau'n gwichian a sŵn trwm wrth i dad-cu Iona ddringo i'r gwely yn yr ystafell uwch ein pennau.

Rhoddais y bluen yng nghledr ei llaw a chodi er mwyn gadael.

'Hwyl fawr, Iona,' sibrydais.

'Callum?'

'Ie?' meddwn i.

'Gofala am Iris. Cadwa hi'n ddiogel.'

'Fe gei di ddod i'w gweld hi dy hunan fory,' meddwn i.

'Addawa i fi.'

Edrychodd llygaid blinedig Iona arnaf.

'Wna i,' meddwn i. 'Wrth gwrs, dwi'n addo.'

Tynnais y blancedi o'i chwmpas a gadael.

Y tu allan roedd y tywydd wedi torri. Roedd glaw yn morthwylio'r palmant poeth, a mellt yn fflachio'n felyn fel neon.

Cerddais adref drwy'r glaw oedd fel monsŵn.

Welais i byth mo Iona eto.

Pennod 18

Deffrais a chlywed y glaw yn curo ar ffenest fy ystafell wely. Edrychais ar y cloc; roedd hi'n naw o'r gloch yn barod. Roeddwn i wedi cysgu'n hwyr. Gwisgais fy nillad a syllu drwy'r ffenest. Roedd hi wedi bwrw hen wragedd a ffyn yn ystod y nos ac roedd pyllau dwfn ar draws y buarth. Roedd Kip ac Elsie'n cyfarth yn eu cwb. Edrychais ar y cloc eto a meddwl bod hynny'n rhyfedd achos fel arfer byddai Dad wedi'u gadael nhw allan erbyn hyn.

Es i lawr i'r gegin a throdd Mam tuag ataf wrth i mi agor y drws. Roedd Dad, Graham a Hamish yno hefyd. Rhoddodd Graham ei gwpan i lawr yn drwm a rhuthro allan. Roedd Dad a Hamish yn gwrthod edrych arnaf. Oedden nhw'n grac? Oedden nhw'n gwybod am y cynllun i gysgu yn y tŷ coeden?

'Eistedd, Callum,' meddai Mam.

'Beth dwi wedi'i wneud?'

Rhoddodd Mam ei breichiau amdanaf. 'Dim byd,' meddai. Daliodd Mam fi'n dynn dynn. 'Iona… fe fuodd hi farw neithiwr.'

Gwthiais Mam i ffwrdd. 'Naddo. Fe welais i hi. Welais i hi neithiwr.'

Daeth Dad draw ataf. 'Mae'n ddrwg gen i…'

'Dyw e ddim yn wir!' bloeddiais. 'Roedd hi'n iawn. Mae ffliw'r haf arni, dyna i gyd, dim ond ffliw.' Edrychais ar Hamish. Roedd e'n edrych yn welw, mor wyn â'r galchen.

'Dwi newydd ddod o'i thŷ hi,' meddai. 'Roedd yr ambiwlans yno.'

Dyma fi'n mynd am y drws wedyn, gwthio fy nhraed i mewn i fy esgidiau a dechrau rhedeg. Rhedeg a rhedeg. Roedd fy ysgyfaint yn llosgi a'm brest yn brifo ond arhosais i ddim tan i mi gyrraedd y tŷ coeden.

Tynnais fy hun i fyny'r ysgol raff. Roedd fy nwylo'n rhewi a llithrodd fy nhraed ar y ffyn pren gwlyb. Gwthiais y drws ar agor uwch fy mhen a thynnu fy hun i mewn. Roedd y glaw wedi treiddio i bob man. Roedd dŵr yn diferu o'r sachau cysgu ac roedd y deisen ar y bwrdd yn wlyb a soeglyd. Roedd y lliwiau yn llun Iona o'r gwalch wedi llifo i'r llawr, a'r holl fanylion bach wedi'u colli. Ysbryd o walch oedd yno nawr.

Ciciais flwch o fisgedi allan drwy'r drws a'i wylio'n taro yn erbyn gwreiddiau'r goeden. Roeddwn i eisiau sgrechian a gweiddi. Roeddwn i eisiau llefain. Ond roedd y dagrau'n gwrthod dod.

Agorais gaeadau'r ffenest led y pen a chydiodd gwynt yn gogledd ynddynt a'u taro yn erbyn ochrau pren y tŷ coeden. Pwysais allan o'r ffenest.

'Mae Iona wedi marw!' gwaeddais. 'Wedi marw!'

Trodd Iris i edrych tuag ataf. Roedd hi'n cydio'n dynn mewn cangen yn y goeden nythu, allan o'r gwynt. Roedd lliw brown ei hadenydd yn union fel lliw rhisgl y gangen. Roedd ei chymar yn y nyth. Doeddwn i ddim yn gallu gweld y cyw, ond gwyddwn ei fod yno yn rhywle, yn cysgodi rhag y glaw.

Pwysais allan o'r ffenest fel bod hanner fy nghorff dros y cwymp oddi tano. 'Mae hi wedi marw!' gwaeddais. 'Wedi marw! Ond beth wyt ti'n ei wybod? Dim ond aderyn twp wyt ti.'

Ysgydwodd Iris ei hadenydd, a'i llygaid llachar yn fy ngwylio. Canodd ei rhybudd drwy'r glaw trwm. 'Cîî, cîî, cîî.'

Curais fy nwylo a chododd Iris i'r awyr. 'Dim ond hen aderyn twp wyt ti.'

Curais gaead y ffenest yn erbyn ochrau pren y tŷ coeden ac atseiniodd y sŵn dros y llyn. Hedfanodd Iris ar ei hochr dros y bryn coediog y tu ôl i mi, a'i bol yn olau yn erbyn yr awyr lwyd.

Eisteddais yno gan syllu allan dros y llyn, dim ond syllu. Treiddiodd pelydryn neu ddau o heulwen drwy'r cymylau. Ddaeth Iris ddim yn ôl i'r nyth. Roedd Iona wedi dweud y byddai hi'n gadael am ei chartref yn Affrica dros y gaeaf erbyn diwedd yr wythnos. Efallai ei bod hi wedi mynd yn barod. Roeddwn i wedi addo i Iona y byddwn i'n gofalu am Iris, a nawr roeddwn i wedi codi ofn arni.

Roeddwn i'n hanner cysgu pan chwibanodd rhuthr meddal o blu heibio i'm pen, ac yna daeth sŵn trwm. Glaniodd Iris ar gangen wrth ymyl y tŷ coeden. Prin y gallwn anadlu. Roedd hi mor agos. Gallwn weld llafn pob pluen a bwa metelig pob crafanc. Ysgydwodd ei phlu a syllu ar y gorwel tua'r de.

'Rwyt ti'n mynd, on'd wyt ti?' sibrydais.

Trodd ei phen a syllu arnaf â'i llygaid melyn llachar. Edrychodd yn syth arnaf. Ac yn sydyn, gwyddwn yr eiliad honno fy mod i'n rhan o'i byd hi fel roedd hithau'n rhan o'm byd innau. Allwn i ddim peidio â meddwl efallai ei bod hi'n gwybod am yr addewid roeddwn i wedi'i roi i Iona.

15 AWST
16.10 GMT
SAFLE'R NYTH
UCHELDIR YR ALBAN

Hedfanodd Iris i fyny, drwy'r heulwen doredig i'r awyr oer a chlir. Cylchodd y nyth unwaith eto. Roedd ei chymar yn trwsio'i blu, yn rhoi olew arnynt ar ôl y glaw trwm. Cododd i fyny o'r nyth yr oedden nhw wedi'i wneud o frigau a gwair, ac i ffwrdd oddi wrth gri diddiwedd y cyw roedden nhw wedi'i fagu'r haf hwnnw.

Roedd y dynfa tua'r de yn ormod iddi nawr, a'r awydd i hedfan yn gryf. Roedd yn curo y tu mewn iddi, yn rhan o bob nerf a chyhyr a chell. Bob dydd, doedd yr haul ddim yn codi mor uchel. Bob dydd, roedd y bwa roedd yn ei greu ar draws yr awyr yn mynd yn is ac yn nes at y gorwel glas golau tua'r de.

Cododd Iris yn uchel ar wynt oer y gogledd. Rhuthrodd hwnnw o dan ei phlu a'i chario i fyny, drwy linynnau tenau'r cymylau. Hwn oedd ei byd hi, byd o awyr eang a dyfroedd wedi'u hadlewyrchu. Hedfanodd yn uchel i'r gwyntoedd cyflym, gan adael yr hen dirlun o gopaon mynyddoedd, llynnoedd llachar a dyffrynnoedd eang y tu ôl iddi.

Pennod 19

Roedd yr eglwys yn oer y tu mewn. Eisteddais yn dawel rhwng Rob ac Euan wrth iddyn nhw siarad â'i gilydd, yn gwylio darnau euraid o lwch yn hofran yn y pelydrau haul a ddeuai drwy'r ffenestri uchel.

'Wyt ti wedi cymryd dy dabledi?' meddai Rob.

'Mae blas ofnadwy arnyn nhw, on'd oes e?' sibrydodd Euan. 'Mae ofn ar Mam y bydda innau'n marw o lid yr ymennydd hefyd. Wnaiff hi ddim gadael llonydd i fi.'

Nodiodd Rob. 'Mae Mam yr un fath, yn cymryd fy nhymheredd bob pum munud. Alla i ddim credu ein bod ni wedi methu pythefnos cynta'r ysgol.'

Roedd cyfarfod coffa'n cael ei gynnal i Iona. Roedd Mam a Dad yn eistedd y tu ôl i mi a gallwn weld Hamish yn eistedd yn agos at y blaen. Roedd athrawon, plant a rhieni o'r ysgol yn llenwi'r eglwys fach. Roedd traed yn crafu ar y llawr cerrig, a'r lleisiau'n codi i'r bondo. Gwthiais fy ewinedd i'm dwylo ac aros.

Daeth tawelwch dros yr eglwys wrth i'r Parchedig Parsons gerdded i fyny'r eil a'r hen Mr McNair yn ei ddilyn. Roedd menyw'n llusgo cerdded wrth ei ymyl, a'i braich yn ei fraich yntau. Mam Iona oedd hi. Roeddwn i'n ei hadnabod o'r llun yn loced Iona, ond yma roedd ei hwyneb yn edrych yn llwyd ac yn rhychiog, a'i llygaid tywyll wedi suddo'n ddwfn. Allwn i ddim dychmygu iddi fod yn ddawnswraig erioed. Cadwodd ei phen i lawr fel petai'n gallu teimlo llygaid pawb yn yr eglwys arni.

Arweiniodd y Parch. Parsons nhw i'w seddau a dringo i'r pulpud a'i adenydd eryr. Roeddwn i'n meddwl am Iona'n rhedeg drwy'r bryniau wrth i'w lais godi dros ein pennau. Darllenodd dwy ferch o'r dosbarth gerddi a daeth merch arall i ganu unawd. Yna canon ni'r emyn 'All Things Bright and Beautiful', sef hoff emyn Iona, unwaith.

Pan ddaeth y gwasanaeth i ben, safodd pawb wrth i Mr McNair a mam Iona gerdded yn ôl allan o'r eglwys. Arhoson nhw pan gyrhaeddon nhw'r côr lle roeddwn i'n eistedd. Trodd mam Iona ataf. Roedd hi'n dal ei dwylo fel petai hi'n gweddïo, ac roedden nhw'n gryndod i gyd. Roedd ei chroen yn wyn fel papur, a chleisiau fel corynnod drosto.

'Callum McGregor?' meddai.

Roedd ei llais yn denau ac yn gryg fel petai'n cael trafferth siarad.

Nodiais.

'Dwi'n credu mai ti biau hon nawr.'

Cydiodd yn fy llaw, rhoi ei llaw hithau'n gwpan amdani, a gollwng loced siâp calon a chadwyn ynddi. Dyna'r loced aur roedd Iona'n ei gwisgo am ei gwddf bob amser. Doeddwn i erioed wedi'i gweld hi hebddi. Gwasgodd mam Iona fy llaw ac yna troi a dechrau cerdded eto.

Agorais y loced, a difaru'n syth. Ar un ochr roedd y llun o Iona, ac ar yr ochr arall, yn y bwlch bach yr un siâp â chalon, roedd ffotograff ohonof i, ffotograff bach oedd wedi dod o lun y dosbarth yn yr ysgol. Gwthiais y loced a'r gadwyn i 'mhoced, gan deimlo'n grac fod Rob ac Euan yn fy ngwylio, ac yn fwy crac am fod Iona wedi rhoi fy llun yn y loced.

'Edrych ar y golwg sy arni, druan fach,' meddai mam Euan, gan wylio mam Iona'n gadael yr eglwys. 'Mae'n ddigon i wneud i galon rhywun waedu.'

'Dylai fod cywilydd arni,' meddai mam Rob y tu ôl i mi, 'yn gadael i ferch fach fel Iona fyw gyda'r hen ddyn yna. Roedd e'n hanner meddw ar wisgi o hyd, a ddim yn gallu gweld ei bod hi mor sâl.'

Trodd Mam ar y ddwy ohonyn nhw. Dwi ddim yn cofio'i gweld hi mor grac. 'Nac oedd, ac ar bwy mae'r cywilydd am hynny? Roedd Fiona'n ffrind i ni unwaith, chi'n cofio? A beth wnaethon ni i gadw llygad ar ei merch fach hi? Oedd Mr McNair yn teimlo y gallai alw ar unrhyw un ohonon ni?'

Rhoddodd Mam ei llaw yn ei bag a gwthio allweddi'r car i ddwylo Dad. 'Dwi'n cerdded adre,' meddai'n swta. 'Mae angen awyr iach arna i.'

I ffwrdd â hi allan o'r eglwys a dilynais innau hi allan i'r maes parcio ac i fyny'r ffordd allan o'r pentref. Cerddon ni mewn tawelwch, Mam yn camu'n fras yn y blaen, a'i hesgidiau'n clecian ar y ffordd.

Roedden ni bron ar waelod lôn y fferm pan arhosodd Dad wrth ein hymyl yn y car. Dringon ni i mewn, a gyrrodd e ni weddill y ffordd adref.

'Mae'n ddrwg gen i am ymateb fel'na,' meddai Mam. 'Alla i ddim peidio â meddwl y dylwn i fod wedi gwneud mwy drostyn nhw.'

'Dwi'n gwybod,' meddai Dad. 'Dyna sut mae pawb arall yn teimlo hefyd.'

Arhosodd Dad yn y buarth a dringais allan o'r car. Roedd fy nghoesau'n teimlo fel plwm. Roeddwn i mor flinedig.

Daeth Dad i gerdded wrth fy ymyl wrth i mi groesi'r buarth. 'Dwi newydd fod yn siarad â mam Euan,' meddai. 'Mae Euan wedi bod yn drist iawn nad yw e wedi dy weld di dros yr haf.'

Codais fy ysgwyddau.

'Mae Euan wedi bod yn ffrind da i ti erioed,' meddai Dad.

Ciciais fy esgidiau oddi am fy nhraed a gwthio drws y gegin ar agor.

'Dwi wedi roi gwahoddiad iddo fe ddod draw,' meddai Dad. 'Mae ei fam yn dod ag e.'

'Dwi ddim eisie i neb ddod draw.'

'Mae'r ysgol yn dechrau fory,' meddai Dad. 'Fe fydd yn dda i ti ei weld e cyn hynny.'

Gwthiais fy ffordd heibio i Mam yn y gegin. 'Fe fydda i yn fy stafell.'

'Fe ddywedais i wrth Euan y byddet ti'n mynd ag e i bysgota,' galwodd Dad. 'Dyw e ddim wedi bod drwy'r haf. Fe ddywedais i y byddet ti'n mynd ag e lan at y llyn.'

Trois i edrych arno. 'Ddim i'r llyn! Wyt ti'n dwp neu beth?'

'Dyna ddigon, Callum,' meddai Dad.

'Ond y gweilch, fe ddywedon ni y bydden ni'n eu cadw nhw'n gyfrinach,' bloeddiais.

'Mae angen dy ffrindiau arnat ti, yn fwy nag rwyt ti'n meddwl,' meddai Dad. 'Paid â throi dy gefn arnyn nhw. Os na ei di ag Euan i bysgota ar y llyn, fe af i.'

PENNOD 20

Rhuthrais i fyny'r grisiau i'm hystafell wely. Roeddwn i'n wyllt gacwn bod Dad wedi gwahodd Euan. Doedd dim angen neb arna i. Clywais injan car yn y pellter ac edrychais allan o'r ffenest a gweld car yn dod ar hyd lôn y fferm. Arhosodd ar y buarth a gwyliais wrth i Euan ddod allan o'r cefn, a Rob yn ei ddilyn. Roedd yntau yma hefyd.

'Callum, maen nhw yma,' galwodd Mam.

Caeais y drws a gwasgu fy nghefn yn ei erbyn.

'Beth wyt ti'n wneud, Callum?'

Gallwn glywed lleisiau yn y gegin islaw.

Newidiais i grys-T a hen siorts. Cwympodd y loced allan o boced fy nhrowsus wrth i mi eu taflu dros y gadair. Codais hi, ei rhoi yng nghas fy minocwlars, a gosod hwnnw ar ben fy nghwpwrdd dillad.

Agorodd Mam y drws. 'Mae Euan a Rob yma,' meddai.

Gwgais arni. 'Dwi'n gwybod. Fe glywais i ti.'

Roedd Euan a Rob yn aros amdanaf yn y gegin. Roedd offer a gwialenni pysgota Euan ar y bwrdd.

'Mae Euan yn edrych ymlaen at hyn,' meddai ei fam. 'On'd wyt ti, Euan?'

Edrychais draw arno a dyma Euan yn cau ei gas pysgota'n drwsgl.

'Fydd dim llawer o amser gyda ni,' meddwn i. 'Mae hi bron yn bump yn barod.'

Rhoddodd Mam fy rycsac i mi. 'Fe aiff Dad â chi lan i'r llyn yn y Land Rover,' meddai. 'Dwi wedi paratoi brechdanau a chacen fan hyn i chi'ch tri.'

I mewn â ni i gefn y Land Rover ac eistedd mewn tawelwch wrth i Dad ein gyrru i'r llyn. Roedd siacedi achub a rhwyfau yn gorwedd o gwmpas ein traed.

Arhosodd Dad wrth lan garegog y llyn. 'Mae gen i ychydig o waith i'w wneud fan hyn,' meddai, 'felly gewch chi fynd â'r cwch allan os y'ch chi eisie.'

Neidiais allan ac edrych i fyny ar yr awyr. Doedd dim sôn am y gwalch gwrywaidd a'r cyw. Roeddwn i'n gwybod y bydden nhw o gwmpas yn rhywle. Roedd Hamish wedi dweud nad oedd yr adar gwrywaidd a'r rhai ifanc yn cychwyn am Affrica tan ganol mis Medi.

'Dere, Callum,' meddai Dad.

Helpodd pawb i dynnu'r cwch bach i'r dŵr. Llwythodd Euan ei offer pysgota, neidion ni i mewn a gwthiodd Dad ni o'r lan.

'Fe wela i chi wedyn,' gwaeddodd Dad.

Syllais ar ei ôl i'r lan. Roedd ambell gleren Fai hwyr yn dawnsio yn y dŵr bas a heulwen yn disgleirio yn y crychdonnau oedd yn dod o'r cwch. Dyma ni'n troi mewn bwa araf, gan symud i fyny ac i lawr yn esmwyth yn y dŵr. Roedd yr awyr yn gynnes ac yn llonydd yng nghysgod y coed.

Edrychodd Euan allan dros y llyn. 'Dwi'n credu y bydd yn rhaid i ni rwyfo allan i'r pen draw,' galwodd. 'Mae tipyn o awel allan ar y dŵr. Diwrnod da i'r Troellwr Mawr.'

'Mae pencampwr pysgota'r adran iau wedi llefaru,' meddai Rob gan roi pwt i mi.

Gwgais a throi fy nghefn arno.

Cydiodd Rob yn y rhwyfau a dechrau rhwyfo, gan wneud i'r cwch symud yn ei flaen yn sydyn.

'Falle nad yw manylion pysgota â phlu o ddiddordeb i ti, Rob,' meddai Euan, 'ond fyddi di ddim yn dal pysgod os nad wyt ti'n gwybod beth rwyt ti'n wneud.'

'A ti yw'r arbenigwr lleol, ie?' meddai Rob.

Agorodd Euan ei flwch pysgota. Daeth rhesi o blu pysgota lliwgar i'r golwg. 'Alli di ddim defnyddio unrhyw bluen,' meddai. 'Mae'n dibynnu ar adeg y flwyddyn, y tywydd a phopeth.' Cododd bluen fawr ddu ac edrych arni'n gariadus. Disgleiriai'r bachyn dan fwa o blu du. 'Nawr, y Troellwr Mawr yw hon. Neidiwr yw hi. Mae'r brithyll yn meddwl mai pryfyn llawn sudd o'r tir fel sioncyn y gwair sy wedi cael ei chwythu ar draws y dŵr yw hi. Mae hon yn berffaith ar gyfer diwrnod gwyntog cynnes yn niwedd yr haf. Os oes unrhyw frithyll allan yna, fe fydd hon yn eu dal nhw.'

Gorweddais ar un o'r seddau a syllu ar yr awyr, gan wrando ar y rhwyfau'n curo'n drwm yn y rolocs a'r dŵr yn byrlymu o dan y cwch.

'Roedd tipyn bach o ofn Iona arna i, ti'n gwybod,' meddai Rob.

Gwyliais y cymylau gwyn yn hwylio uwchben. 'Roedd hi'n gallu bod braidd yn ffyrnig weithiau,' meddwn. Allwn i ddim peidio â gwenu.

Edrychais draw ar Rob. 'Roedd hi'n gallu dilyn trywydd carw coch,' meddwn i, 'a mynd o fewn hyd braich. Y'ch chi'n cofio pan ddaliodd hi frithyll yn ei dwylo, y diwrnod cynta y gwelon ni hi?'

Cododd Rob y rhwyfau a gadael i'r cwch bach symud yn yr awel. Gollyngodd ei law i'r dŵr a syllu ar ei adlewyrchiad ei hun yn cael ei dorri'n ddarnau.

'Mae goglais brithyll yn sicr yn glyfar,' meddai Euan. 'Ond *hon*, Callum,' gan sefyll yn y cwch, '*hon* yw'r gelfyddyd go iawn.' Cododd ei wialen yn sydyn a chastio'r bluen allan dros y dŵr. Hedfanodd drwy'r awyr a glanio'n dawel yn y pellter.

Gorweddodd Rob ar y sedd arall a chau ei lygaid. 'Beth wyt ti'n feddwl, Callum? Ai bysedd pysgod a sglodion fydd i swper?'

'Chwarddwch chi faint fynnoch chi,' meddai Euan, a'i gefn tuag atom. 'Brithyll braf fydd fy swper i.'

Buon ni'n symud yn araf ar draws y llyn tan yn hwyr y prynhawn. Roedd sŵn biliwn o bryfed yn suo yn yr awyr boeth. Rywle allan ar y caeau pori galwodd gylfinir, ac uwch fy mhen roedd gwenoliaid yn plethu drwy'r awyr.

'Oes rhagor o fwyd?' gofynnodd Rob gan dwrio drwy fy rycsac.

'Dwi'n credu dy fod ti wedi bwyta'r rhan fwya ohono fe,' meddwn i.

'Dwi'n llwgu,' meddai Rob. 'Wyt ti wedi dal pysgodyn eto, Euan?'

Dim ond syllu'n gas arno wnaeth Euan.

'Falle nad wyt ti'n castio'n gywir,' meddai Rob. 'Wyt ti eisie i fi roi cynnig arni?'

'Pan fydd angen i ti roi gwersi castio i fi, fe fydda i'n rhoi'r gorau i bysgota,' atebodd Euan yn swta.

Gwyliais ben gwialen Euan yn symud am yn ôl ac i fyny cyn iddo gastio'r bluen ar draws y dŵr. Fry uwch ein pennau, hwyliodd adenydd llydan gwalch i'r golwg. Cylchodd, gan edrych ar y llyn islaw. Roedd yn hela. Cymar Iris oedd yno, yn chwilio am bysgod i'r cyw.

Roedd Rob ac Euan yn dal i ddadlau â'i gilydd.

'Falle dy fod ti'n defnyddio'r wialen anghywir?' meddai Rob.

'Dyma'r wialen orau gall arian ei phrynu. Mae hi wedi'i gwneud o ffibr carbon,' meddai Euan.

Curodd y gwalch ei adenydd er mwyn hofran. Roedd yn paratoi i blymio. Roeddwn i wedi gweld hyn o'r blaen, ond roeddwn i'n cael yr un wefr bob tro.

'Efallai dy fod ti'n defnyddio'r bluen anghywir,' awgrymodd Rob.

'O, cau dy hen geg, Rob,' meddai Euan yn swta. 'Does dim brithyll yn y llyn 'ma. Mae mwy o siawns i fi ddal pysgodyn aur.' Cododd ben ei wialen gan wneud i'r bluen neidio ar draws y dŵr.

Plymiodd y gwalch, ei adenydd wedi'u cau, ei ben ymlaen, a'i grafangau allan.

Fel fflach, plymiodd i'r llyn wrth ymyl Troellwr Mawr Euan. Tasgodd dŵr i'r awyr. Roeddwn i'n disgwyl i'r gwalch hedfan yn syth allan, ond curodd ei adenydd ychydig o weithiau ac eistedd yno yn y dŵr, gan symud o gwmpas a syllu arnon ni.

'Beth yn y byd yw hwnna?' meddai Rob mewn syndod.

'Gwalch y pysgod!' meddai Euan.

Ysgydwodd y gwalch ei ben a churo'i adenydd, gan ddechrau codi. Ymdrechodd yn galed, a'i grafangau'n llusgo'n ddwfn yn y dŵr. O'r diwedd, cododd o arwyneb y dŵr wrth ymyl ein cwch a'i ysgwyd ei hun, gan beri i enfys o ddafnau diemwnt dasgu ohono. O dan y gwalch, yn dynn yn ei grafangau, roedd un o'r brithyll mwyaf a welais erioed. Roedd mor agos atom, gallwn weld cochni llachar y tagellau'n agor a chau.

Bu bron i Rob syrthio allan o'r cwch, roedd yn chwerthin cymaint. Ond dim ond eistedd yno'n gegrwth wnaeth Euan. Am y tro cyntaf erioed, trawyd ef yn fud.

Roedd y pencampwr pysgota, Euan Douglas, wedi ei drechu gan aderyn.

Pennod 21

'Gwalch y pysgod!' meddai Euan, gan eistedd yn drwm yn y cwch. Gwyliodd y gwalch yn cario'r brithyll yn ôl i'r nyth lle tynnodd y gwalch ifanc y pysgodyn oddi wrtho. 'Mae gweilch yn nythu ar dy fferm di. Pam na ddwedaist ti wrthon ni?'

Syllais ar y crychdonnau'n lledu y tu ôl i'r cwch. 'Maen nhw'n brin,' meddwn dan fy ngwynt. 'Wedi'u gwarchod.'

'Ac ro't ti'n meddwl y bydden ni'n dweud wrth bawb,' meddai Euan. Roedd e'n edrych wedi'i frifo nawr, ac yn grac. 'Do't ti ddim yn meddwl y gallet ti ymddiried ynon ni?'

Cydiais yn y rhwyfau a'u tynnu'n ôl yn galed. 'Nid fel'na oedd hi,' meddwn i.

'Oedd *hi*'n gwybod?' gofynnodd Rob.

Nodiais. 'Iona ddaeth o hyd iddyn nhw. Hi achubodd nhw… wel, Iris, hynny yw.'

'*Iris?*' chwarddodd Rob.

'Ie, Iris,' meddwn yn swta. 'Pam mae'n rhaid i ti droi popeth yn jôc?' Rhwyfais y cwch ar draws y llyn, a'r rhwyfau'n taro'r dŵr yn swnllyd. Cyrhaeddodd y cwch y lan dan grensian ar y cerrig mân a neidiais allan a dolennu'r rhaff dros foncyff coeden. 'Fe addewais i i Iona y byddwn i'n gofalu am Iris. Ac fe wna i hefyd.'

I ffwrdd â fi ar frys ar hyd y llwybr. Roedd yn rhaid i Rob ac Euan redeg i ddal i fyny.

Cydiodd Rob yn fy mraich. 'Mae'n ddrwg gen i, o'r gorau?'

Trois arno'n wyllt. 'Fe ddywedaist ti 'mod i'n dda i ddim, ti'n cofio?'

'Ro'n i wedi gwylltio. Do't ti ddim yn fodlon treulio amser gyda ni.'

'Y gweilch oedd…' meddwn i. 'Ro'n i'n…' Aeth fy llais yn ddim ac eisteddais ar garreg oedd yn fwsogl llaith i gyd.

Pwysodd Euan yn erbyn coeden. 'Felly ble mae hi nawr? Ble mae Iris?'

'Wedi mynd,' meddwn i. 'Mae hi'n hedfan tua'r de ar gyfer y gaeaf.'

'Felly dyna ni, ie?' meddai Euan. 'Fe fydd yn rhaid i ti aros tan flwyddyn nesa, fydd e?'

Eisteddwn yno gan dynnu darnau o fwsogl oddi ar y garreg a'u rholio rhwng fy mysedd.

'Na fydd,' meddwn i.

Ddywedodd Rob nac Euan ddim gair.

Taflais y mwsogl i'r llawr. 'Dwi'n gallu ei dilyn hi. Mae trosglwyddydd radio ar ei chefn a bydda i'n gallu gweld ei thaith yr holl ffordd i Affrica a 'nôl.'

'Wyt ti'n tynnu fy nghoes i?' meddai Rob. Roedd ei lygaid yn fawr.

'Nac ydw,' meddwn i. 'Fe helpais i a Iona osod y trosglwyddydd.'

'Nawr, mae hynny'n hollol cŵl,' chwibanodd Rob. 'Sut rwyt ti'n ei dilyn hi?'

'Ar y cyfrifiadur,' meddwn i.

'Wyt ti'n gallu dangos i ni?' gofynnodd Rob.

Codais fy ysgwyddau.

Edrychodd Euan arnaf yn graff. 'Er mwyn dyn, Callum, ni yw dy ffrindie di. Dwyt ti ddim yn gallu ymddiried ynon ni?'

Edrychais draw arnyn nhw. Dad oedd yn iawn. Nhw oedd fy ffrindiau i, ac roedd eu hangen nhw arna i nawr.

'Wrth gwrs 'mod i'n gallu ymddiried ynoch chi,' meddwn i.

'Dere, 'te,' meddai Rob gan godi fy rycsac. 'Alla i ddim aros i weld hyn.'

* * *

Yn ôl yn fy ystafell wely, pwysodd Euan a Rob dros fy ysgwydd wrth i mi danio'r cyfrifiadur.

'Mae Iris yn ne Ffrainc,' meddwn i. 'Fe fydd yn rhaid iddi hedfan dros y Pyreneau cyn hir.'

'Y beth?' meddai Rob.

'Y Pyreneau,' meddai Euan. 'Y mynyddoedd rhwng Ffrainc a Sbaen.'

Dangosais iddyn nhw sut i deipio cod Iris i mewn er mwyn i ni ddod o hyd i'w safle a chwilio amdano ar fapiau Google Earth.'

'Edrychwch,' meddwn i. 'Dyna lle roedd hi awr yn ôl.'

25 Awst
19.00 GMT
Lourdes, De Ffrainc
43°05′08.94″ Gog. 0°05′43.43″ Gorll.
Cyflymder: 26 km/a
Uchder: 1.18 km
Cyfeiriad: De
Cyfanswm y pellter: 1771.86 km

Symudais er mwyn i Rob gael tro ar y cyfrifiadur. 'Anhygoel,' meddai. 'Rwyt ti'n gallu gweld popeth mae hi'n hedfan drosto. Ac edrychwch ar hyn.' Cliciodd ar eiconau ffotograffau bach oedd dros y mapiau i gyd. 'Mae 'na ffotograffau o'r lleoedd, hyd yn oed. Edrychwch ar y mynyddoedd hyn, maen nhw'n enfawr!'

Tynnais fy nyddiadur allan ac ysgrifennu'r cyfesurynnau ynddo.

'Beth yw hwnna?' gofynnodd Euan.

'Dyddiadur,' meddwn i. 'Dwi'n cofnodi ei thaith hi yn hwn hefyd.'

'Ga i weld?' gofynnodd Euan.

Rhoddais y llyfr iddo ac aeth yntau drwy'r tudalennau yn araf. Roeddwn i wedi gludio rhai o baentiadau a brasluniau Iona ynddo.

'Mae'r rhain yn lluniau da,' meddai Euan.

Nodiais. 'Iona wnaeth nhw.'

'Ga i dynnu llun rhywbeth?' gofynnodd.

Rhoddais bensel i Euan a gadael iddo dynnu llun ar waelod y dudalen. Daliodd y llun i fyny ar ôl ei orffen a'i ddangos i mi. Doedd e ddim cystal ag un Iona, ond roeddwn i'n ei hoffi serch hynny.

Llun o dri bachgen mewn cwch ar y llyn oedd e, a gwalch yn codi brithyll brown enfawr o'r dŵr.

Pennod 22

27 Awst
07.48 GMT
Mynyddoedd y Pyreneau, Sbaen
42°45′28.29″ Gog. 0°21′41.68″ Gorll.
Cyflymder: 68.8 km/a
Uchder: 3.21 km
Cyfeiriad: De
Cyfanswm y pellter: 1865.23 km

'Mae Iris wedi gadael Ffrainc,' meddwn i amser brecwast. 'Mae hi dros fynyddoedd y Pyreneau nawr. Dwi newydd fod ar y cyfrifiadur.'

'Braf iawn,' meddai Dad, gan arllwys cwpanaid o de iddo'i hun. 'Gobeithio'i bod hi wedi bwyta digon o *croissants* ar gyfer y daith.'

'Dad, dyw hynny ddim yn ddoniol, hyd yn oed.'

Gwthiodd Mam bowlenaid o uwd o dan fy nhrwyn.

'Mae'n hedfan yn uchel dros ben,' meddwn i, 'dros dair mil metr. Mae'n mynd yn gyflym hefyd ac yn hedfan ar bron i saith deg cilometr yr awr. Mae tipyn o wynt yn ei gwthio hi ymlaen.'

'Oes, a bydd angen mwy na gwynt i dy wthio di i'r ysgol mewn pryd,' meddai Mam, gan guro'r bowlen yn ysgafn â'i llwy. 'Fedri di ddim bod yn hwyr y diwrnod cynta 'nôl. Fe fydd yn rhaid i Dad roi lifft i ti.'

Roedd Rob, Euan a minnau ym mlwyddyn chwech nawr. Un flwyddyn arall a bydden ni'n gadael ysgol y pentref ac yn mynd ar y bws i'r ysgol uwchradd ugain milltir i ffwrdd. Gyrrodd Dad fi i'r ysgol a'm gollwng wrth y clwydi.

Roedd y gloch yn canu felly brysiais i'n hystafell ddosbarth newydd.

Taflodd Rob ei fag ar y ddesg nesaf ataf. 'Blwyddyn gyfan o Mrs Wicklow,' cwynodd.

'Fe ddysgodd hi Dad pan oedd e yma,' meddai Euan, gan eistedd yn drwm ar un o'r cadeiriau.

'Mae hi mor hen ag Adda,' meddai Rob.

Nodiodd Euan. 'Mae Dad yn tyngu bod gwaed coblynnod y mynyddoedd ynddi.'

Rhoddais bwt i Euan wrth i Mrs Wicklow gerdded drwy'r drws.

'Bore da, blant!' bloeddiodd.

Tawelodd y dosbarth wrth iddi droi i rythu ar y tri ohonon ni cyn troi i ysgrifennu ar y bwrdd.

'Fe fyddwch chi'n falch o gael gwybod ein bod ni'n dechrau'r tymor gyda phrosiect ar gestyll a threfi caerog,' meddai. 'Fe fyddwn ni'n edrych ar y rheswm pam y cawson nhw eu hadeiladu a sut roedd bywyd i'r bobol oedd yn byw yno. Gweithiwch mewn grwpiau. Casglwch gymaint o wybodaeth ag y gallwch chi a chyflwyno'ch prosiect i'r dosbarth.'

Eisteddodd Rob, Euan a minnau wrth gyfrifiadur oedd yn rhydd a chwilio o dan 'cestyll'.

'Beth am Gastell Caeredin? Dyna un da,' meddai Euan.

'Dyna wnaeth bron pawb y llynedd,' meddai Mrs Wicklow. 'Dwi eisie rhywbeth gwahanol eleni.'

Dywedodd Euan rywbeth dan ei wynt wrth i Mrs Wicklow adael yr ystafell.

Roedd Rob yn troelli yn ei gadair wrth ein hymyl. Chwiliais drwy'r holl dudalennau i blant ar y we, ond doedd dim yn tynnu fy sylw. Y cyfan y gallwn feddwl amdano oedd ble roedd Iris nawr. Beth oedd hi'n gallu'i weld? Oedd hi wedi llwyddo i hedfan dros y Pyreneau?

'Dere, Rob,' meddwn i. 'Paid â disgwyl i ni wneud y gwaith i gyd.'

Llithrodd Rob draw ar ei gadair a'i bwrw i mewn i fy un i. 'O'r gorau, symud draw,' meddai. Teipiodd god Iris i mewn.

'Ddim fan hyn, Rob,' meddwn i o dan fy ngwynt. 'Dy'n ni ddim eisie i unrhyw un weld.'

'Dere,' meddai Rob. 'Dyw Corachen ddim yma.'

Cymerodd y cyfrifiadur oesoedd i gychwyn Google Earth. Prin roedd y bar llwytho ar waelod y sgrin yn symud o gwbl.

'Ras gadeiriau!' cyhoeddodd Rob. 'Chi'n gêm?'

Dyna ein hoff beth ni. Bydden ni'n rasio'n gilydd drwy droelli'r cadeiriau troellog rownd a rownd o'r gwaelod i'r top ac i lawr unwaith eto.

'Tri... dau... un... EWCH!' meddai Rob.

Ac i ffwrdd â ni. Troelli fel tasen ni'n ddwl. Daliais fy mreichiau a'm coesau i mewn yn dynn. Dyma ni'n troi a throi a throi. Roedd Rob ac Euan fel dau chwyrligwgan aneglur wrth fy ymyl.

Tarodd fy nghadair y gwaelod a chlecian. 'Fi enillodd!' gwaeddais. Euan oedd nesaf, ychydig eiliadau ar fy ôl, ond roedd yn edrych y tu hwnt i mi, a'i wyneb yn welw.

'Callum McGregor!'

Dyma fi'n troi, a rhewodd fy ngwaed.

Roedd Mrs Wicklow yn sefyll y tu ôl i mi, a'i dwylo ar ei gluniau. Trodd at weddill y dosbarth. 'Wel, mae hi'n edrych fel petai digon o amser gan Mr McGregor a'i ffrindiau i chwarae gêmau.'

Roedd pawb yn syllu arnon ni ac aeth y dosbarth yn dawel.

'Gadewch i ni weld pa ymchwil mae'r tri yma wedi'i wneud,' meddai Mrs Wicklow gan gamu tuag at y cyfrifiadur.

Pwysodd Rob draw a tharo ambell fysell ar y cyfrifiadur. Roeddwn i eisiau tynnu'r soced o'r wal. Ymhen ychydig eiliadau byddai pawb yn gweld cyfrinach Iris.

'Dewch, nawr,' meddai Mrs Wicklow yn swta.

Roedd gan Rob amser i daro un fysell arall. Eisteddodd Mrs Wicklow a syllu ar y sgrin. Cododd ei haeliau ac edrych arnaf. 'Wyddwn i ddim bod diddordeb gyda ti yng Ngogledd Sbaen; mynyddoedd y Pyreneau, a bod yn fanwl gywir.'

Edrychais ar Euan ond doedd dim i'w wneud.

Trodd Mrs Wicklow y sgrin i wynebu'r dosbarth. 'Da iawn, Callum, Rob ac Euan,' meddai.

Edrychais ar y sgrin. Doedd Iris ddim arni, na'r llwybr roedd hi wedi'i gymryd dros y mynyddoedd. Yn lle hynny roedd erthygl am y castell mwyaf anhygoel roeddwn i wedi'i weld erioed. Roedd tyredau a waliau uchel ganddo ac eisteddai fry ar lethrau mynyddoedd uchel, fel petai ar ymyl y byd.

'Castillo de Loarre,' meddai Rob mewn acen Sbaeneg wael. 'Mae'n uchel ym mynyddoedd y Pyreneau.'

Cododd Mrs Wicklow ei haeliau. 'Gwaith da, fechgyn,' meddai. 'Daliwch ati.'

Pan oedd hi wedi symud i ran arall o'r dosbarth, trois at Rob. 'Sut dest ti o hyd i hwnna?'

Chwarddodd Rob. 'Lwc pur,' meddai. 'Cliciais ar y ffotograff nesa at safle Iris, i dynnu sylw oddi wrthi ac allwn i ddim credu'r peth pan ddaeth y castell 'ma i'r golwg. Cliciais ar y ddolen a dyma fe.'

Edrychais yn graff ar y sgrin. 'Mae'n anhygoel, on'd yw e?' meddwn. 'Mae'n ddigon posib ei bod hi wedi hedfan dros yr union gastell hwn lai nag awr yn ôl. Falle'i fod e'n un o'r mannau mae hi'n chwilio amdano ar ei thaith.'

'Anghofia am hynny,' meddai Rob gan redeg ei law drwy ei wallt. 'Mae'r aderyn 'na newydd achub ein crwyn ni.'

```
27 Awst
11.15 GMT
Loarre, Gogledd Sbaen
42°18′49.42″ Gog. 0°37′29.39″ Gorll.
Cyflymder: 28.6 km/a
Uchder: 1.42 km
Cyfeiriad: De
Cyfanswm y pellter: 1908.34 km
```

PENNOD 23

Dilynon ni daith Iris bob dydd. Cymerodd hi dridiau iddi gyrraedd de Sbaen. Arhosodd hi ger cronfa ddŵr yno am bron i wythnos cyn hedfan ar draws Culfor Gibraltar. Ffoniais Hamish i ddweud ei bod hi wedi gadael am Affrica. Dywedodd Hamish wrtha i ei fod e wedi bod yn Gibraltar unwaith ac wedi gweld heidiau o adar oedd yn mudo yn aros am yr amodau cywir i groesi'r culfor. Dywedodd ei fod fel lolfa mewn maes awyr i wahanol adar, a phawb yn cweryla i gael lle iddo'i hun nes y byddai'r awyr yn glir a'r gwynt yn chwythu o'r cyfeiriad cywir i'w cario dros y môr.

Ond roeddwn i'n poeni am y diffeithwch. Ar y map roedd ehangder Diffeithwch Sahara yn ymestyn dros Ogledd Affrica. Roedd y ffotograffau'n dangos moroedd o dwyni tywod diddiwedd. Darllenais am greigiau oedd yn ddigon poeth i ffrio wy arnyn nhw, a stormydd tywod oedd yn ddigon ffyrnig i flingo rhywun. Roedd hi'n anodd credu y byddai Iris yn hedfan dros y ffwrnais hon, heb ddŵr i'w yfed nac i bysgota ohono.

Ac yna digwyddodd yr hunllef.

Doedd dim signal oddi wrth Iris.

Ffoniais Hamish.

'Falle'i bod hi'n cysgodi rhwng creigiau,' meddai. 'Os yw'r batri solar yn colli pŵer yn y tywyllwch, fydd e ddim yn trosglwyddo'r signal.'

'Ond mae hi'n ganol dydd,' meddwn i. 'Fe ddylai hi fod yn hedfan. Mae digon o haul yno. Diffeithwch y Sahara yw e.'

'Dwi'n gwybod,' meddai Hamish gan ochneidio. 'Bydd yn rhaid i ni aros, dyna i gyd. Dyna'r cyfan y gallwn ni ei wneud.'

Allwn i ddim cysgu llawer y noson honno. Deffrais yn gynnar a theipio cod Iris ar y cyfrifiadur.

11 Medi
DIM SIGNAL

'Dwi wedi'i cholli hi, Dad,' meddwn yn ddigalon. 'Doedd dim signal ddoe. Aeth hi ormod i'r dwyrain i mewn i'r Sahara.'

Cododd Dad ymyl llenni fy ystafell wely. Roedd hi'n dal yn dywyll y tu allan ac roedd eirlaw yn taro'r ffenestri.

'Mae angen help arna i gyda'r defaid, Callum. Mae'n rhaid i ni ddod â nhw lawr o'r bryniau.'

'Mae hi gant wyth deg cilometr oddi wrth ddŵr.'

'Mae ambell famog yn gloff a hoffwn i gael cip arnyn nhw.'

'Dyw'r wawr ddim wedi torri yn y Sahara eto. Falle pan fydd yr haul yn taro'r panel solar ar y trosglwyddydd, fe ddown ni o hyd iddi eto.'

Edrychodd Dad arnaf. Doeddwn i ddim yn meddwl ei fod e wedi bod yn gwrando o gwbl, ond mi oedd e.

'Cal,' meddai, 'dw inne eisie i Iris fod yn ddiogel hefyd, ond fydd hi ddim yn gwneud unrhyw wahaniaeth os wyt ti'n eistedd drwy'r dydd gwyn ac yn gwasgu dy wyneb yn erbyn sgrin y cyfrifiadur 'na. Aderyn gwyllt yw hi mewn amgylchedd caled. Ti'n gwybod hynny. Does dim byd alli di ei wneud i'w helpu hi allan yna, mae hi ar ei phen ei hun.'

'Ond mae hi'n gryf, Dad, on'd yw hi?' Edrychais ar y sgrin, ar yr union fan lle daeth y signal olaf. Bob dydd o'i thaith roeddwn i wedi edrych ar Google Earth i weld lle roedd hi. Roeddwn i wedi dilyn ei llwybr ac roedd fel petawn i gyda hi. Roedd fel petawn i'n hedfan wrth ei hymyl yr holl ffordd.

'Dere, Cal,' meddai Dad. 'Dere i gael dy frecwast a rhoi help llaw i fi gyda'r defaid. Falle gallwn ni fynd i weld nyth y gweilch wedyn a chywiro unrhyw ddifrod y mae'r storm wedi'i wneud iddo. Mae'r gwynt yn mynd i fod yn gryf heno. Fe wnawn ni'n siŵr y bydd y nyth yno iddi hi'r gwanwyn nesa. Dyna'r cyfan y gallwn ni wneud.'

Trois i ddiffodd y cyfrifiadur, ond cyn i mi wasgu'r bysellfwrdd, fflachiodd dot oren ar y sgrin, dot oren bach oedd yn golygu un peth. 'Mae hi'n ôl, Dad!' gwaeddais. 'Mae 'na signal. Yn y diffeithwch. Ei signal hi yw e.'

Syllodd Dad ar y sgrin a rhedeg ei ddwylo drwy fy ngwallt. 'Oes,' gwenodd. 'Falle'i bod hi'n gwlychu ei thraed mewn werddon yr eiliad hon, a diod oer wrth ei hymyl.'

'Dad!' Gwthiais ef i ffwrdd, ond allwn i ddim peidio â gwenu.

11 Medi
05.30 GMT
Diffeithwch y Sahara
31°30’08.84” Gog. 0°41’37.21” Dwyrain
Cyflymder: 0 km/a
Cyfanswm y pellter: 3812.02 km

Agorodd Iris ei llygaid a thrwsio'i phlu. Roedd y wawr oren yn ymledu dros y gorwel. Doedd dim byd i'w weld, dim gwerddon na stribed o afon loyw. Dim ond y twyni euraid yn ymestyn yn donnau diddiwedd i'r pellter.

Roedd y storm dywod wedi para drwy'r dydd a thrwy'r nos. Roedd Iris wedi cael ei chwythu ymhell i mewn i'r diffeithwch lle daeth hi o hyd i gysgod o dan greigiau. Roedd gronynnau o dywod cras wedi mynd i'w cheg a'i ffroenau ac roedden nhw'n rhwbio yn erbyn y croen meddal o dan y plu mân. Roedd un droed wedi chwyddo ac yn boenus lle roedd yr hen friw wedi agor, ac roedd ei phlu hedfan hir yn sych ac yn frau o achos y gwres. Dechreuodd eu trwsio, gan roi olew drostyn nhw fel bod yr adfachau ar bob un yn llyfn ac wedi'u selio eto.

Wrth i'r haul danio yn yr awyr, cododd Iris ei hun i fyny i'r aer oedd yn troelli fry. Bu'n hofran tua'r de a thua'r gorllewin drwy'r dydd. Roedd haul y diffeithwch yn llosgi ei chefn, a'r tywod yn llachar yn ei llygaid ganol dydd. Wrth i'r haul wyro tua'r gorwel, aeth Iris i lawr hefyd drwy'r haenau o awyr oer.

Oddi tani roedd rhes o gamelod a phobl yn troedio dros esgair uchel y twyni, a'u cysgodion tywyll hir wedi'u gwasgu yn erbyn y tywod euraid. Pwyntiodd plentyn oedd yn marchogaeth camel ati wrth iddi fynd heibio. Yn ddwfn o fewn Iris, llifodd atgofion am y tiroedd oer pellennig drwyddi, atgofion am blentyn yn ei gwylio, am fannau da am bysgod a dyfroedd dwfn. Dyma'r atgofion yn ei chodi ac yn ei chario'n uwch. Ac wrth i'r golau bylu, ymddangosodd clwstwr gwyrdd o goed a thir prysg, a'r tu hwnt iddyn nhw, o'r diwedd, stribed o fachlud wedi'i adlewyrchu yn nolenni afon lydan.

Pennod 24

Cofnodais daith Iris yn fy nyddiadur dros yr wythnosau canlynol a lawrlwytho ffotograffau o rai o'r mannau roedd hi wedi hedfan drostyn nhw. Strwythur Richat yn Mauritania oedd un ohonyn nhw, patrwm rhyfedd o gylchoedd enfawr yn y diffeithwch roedd gwyddonwyr NASA yn gallu eu gweld o'r gofod. Hedfanodd dros drefi ag enwau dieithr fel Ksar el Barka a Boutilimit. Roedd yna ffotograffau o bentrefi cyfan oedd yn cael eu llyncu'n raddol gan dwyni tywod enfawr, a ffotograffau o gamelod yn teithio drwy'r diffeithwch tua'r wawr olau.

Hedfanodd Iris i'r de ac i'r gorllewin i Senegal ac ymlaen i Gambia. Daeth y mudo hir i ben ar hyd glannau afon Gambia, yn agos i'r aber. Edrychais ar ffotograffau o'r ardal. Roedd gwernydd mangrof trwchus a phalmwydd yn tyfu hyd at ymyl y dŵr.

Roedd crocodeilod yn cysgu ar dwmpathau mwdlyd pan oedd y llanw ar drai. Roedd pysgotwyr yn trwsio rhwydi wrth ymyl cychod wedi'u peintio'n llachar.

23 Medi
08.00 GMT
Gwern fangrof, Gambia
13°16'28.05" Gog. 16°28'58.14" Gorll.
Cyflymder: 0 km/a
Cyfanswm y pellter: 6121.23 km

Roedd mor wahanol i lynnoedd a mynyddoedd yr Alban. A dim ond tri deg naw o ddiwrnodau roedd y daith wedi'i gymryd iddi. Dywedodd Hamish fod rhai o'r gweilch roedden nhw wedi'u dilyn yn cymryd llawer llai na hynny.

Bob diwrnod wedi hynny, deuai signalau Iris o'r un ardal. Byddai'n hedfan igam-ogam ar draws cilfach afon fach lle roedd hi'n pysgota, ac yn clwydo mewn coed ar lannau'r afon. Roedd hi wedi ymgartrefu yno a doeddwn i ddim yn edrych i weld lle roedd hi mor aml. Byddai'n rhaid i mi aros tan fis Mawrth cyn y byddai hi'n dechrau mudo tua'r gogledd i'r Alban eto.

Eisteddais wrth y cyfrifiadur yn fy ystafell wely i weld lle roedd hi. Doeddwn i ddim wedi edrych am rai diwrnodau. Taniais y cyfrifiadur, yn barod i deipio cod Iris.

Gwalch y Nen

Trawodd carreg fechan yn erbyn ffenest fy ystafell wely.

Agorais y ffenest a gweld Rob ac Euan ar eu beiciau yn y buarth islaw.

'Wyt ti'n dod, Callum? Ry'n ni'n mynd i fyny ar y llwybrau ucha.'

Edrychais i fyny ar y bryniau. Roedd y coed yn tanio'n goch ac yn aur yn heulwen mis Hydref. Roedd hi'n ddiwrnod perffaith.

'Dwi'n dod!' gwaeddais. Byddai'n rhaid i Iris aros. Diffoddais y cyfrifiadur a bachu fy siaced.

Roedd Rob yn gwisgo helmed newydd lachar, un ddu â streipiau arian.

'Anrheg oddi wrth mam,' meddai Rob. 'Fe gafodd hi ei galw mewn i weld Corachen. Roedd hi'n meddwl 'mod i mewn helynt, ond roedd Corachen eisie dweud wrthi pa mor dda ro'n i'n gwneud. "Mae e'n frwdfrydig iawn am ddaearyddiaeth," meddai hi.'

'Alla i ddim meddwl pam,' meddai Euan a gwenu.

I ffwrdd â ni o gwmpas cefn y fferm. Roedd yn rhaid i Rob wthio ei feic i fyny'r bryn, hyd yn oed. Dyma ni'n gwthio a thynnu ein beiciau i fyny gwely sych y nant a llwybrau'r defaid. Pan gyrhaeddon ni'r copa, gorweddodd pawb yn y grug.

'Mae'r nyth yn dal yno, 'te,' meddai Euan.

Roedd e'n edrych draw ar nyth y gweilch ar yr ynys. Roedd ambell noson stormus wedi bod ers i'r adar adael.

'Fe ddringodd Dad a Hamish i fyny a'i glymu e'n sownd wrth frig y goeden,' meddwn i.

'Pam maen nhw'n mudo, tybed?' gofynnodd Rob. 'Hynny yw, pam maen nhw'n ffwdanu? Pam nad y'n nhw'n aros fan hyn?'

'Mae hi'n rhy oer yn y gaea, siŵr o fod,' meddwn i.

'Felly pam nad y'n nhw'n aros yn Affrica, 'te,' meddai Rob, 'lle mae hi'n boeth a lle mae pysgod bob amser?'

Codais fy ysgwyddau. 'Falle bod eu nythod nhw'n saffach fan hyn. Does dim mwncïod na nadroedd yma i ddwyn yr wyau neu'r adar bach.'

'Mae rhai pobol yn eu dwyn nhw,' meddai Euan.

'Pobol ryfedd,' meddwn i. 'Dyna mae Hamish yn eu galw nhw.'

'Dewch,' meddai Rob.

Dilynon ni fe ar hyd y llwybr uchaf dros ael y bryn. Roedd hi'n daith braf, gydag ambell bant i wibio i lawr ac i fyny'r ochr draw. Roedd yr awyr yn lliw glas-ganol-haf, ac wedi'i adlewyrchu yn y llyn oddi tano.

'Hei, dewch lawr fan hyn,' meddai Rob. Trodd ei feic i lawr llwybr serth drwy'r goedwig binwydd. 'Ymarfer slalom!'

Dilynon i lwybr igam-ogam Rob rhwng y coed. Roedd y canghennau mor isel, roedd yn rhaid i mi blygu i lawr rhag cael fy mwrw oddi ar fy meic. Saethon ni allan o'r pinwydd tywyll i ran agored o'r goedwig lle roedd Dad wedi clirio'r pinwydd a phlannu coed brodorol yn eu lle. Gwibion ni heibio i'r coed ifanc a'r ffens o'u cwmpas oedd yn eu gwarchod rhag y ceirw, ac i lawr i'r goedwig o goed deri a cheirios oedd o gwmpas y llyn.

Sgidiodd Rob ac aros mewn cylch o feini gwyn. Doeddwn i ddim wedi sylweddoli ein bod ni wedi dod mor agos i'r tŷ coeden. Dim ond llathenni i ffwrdd roedd e.

'Beth yw'r lle 'ma?' gofynnodd Rob. 'Dy'n ni erioed wedi bod yma o'r blaen.'

Roedd Euan wedi dod oddi ar ei feic ac yn cerdded o gwmpas y cylch cerrig. 'Maen nhw fel petaen nhw wedi cael eu gosod yma,' meddai.

'Gadewch i ni fynd,' meddwn i.

'Newydd gyrraedd ry'n ni,' meddai Rob. Dringodd i ben un o'r meini. Daeth pelydryn o haul i lawr ar ei wyneb. 'Perffaith,' meddai.

Gorweddodd yn ôl yn erbyn y garreg a chau ei lygaid. Petai'n edrych i fyny nawr, byddai'n gweld y tŷ coeden yn union uwch ei ben. Doeddwn i ddim eisiau dweud wrthyn nhw am y lle, ddim eto. Allwn i ddim wynebu mynd yn ôl yno. Gwthiais fy meic i lawr tua'r llwybr wrth y llyn ac aros.

'Be sy'n bod arnat ti, Cal?' gwaeddodd Euan.

'Dwi'n llwgu,' meddwn i. 'Beth am fynd i weld a wnaiff Mam roi tamaid o fwyd i ni?'

Neidiodd Rob i lawr a gyrron ni ein beiciau'n araf ar hyd y trac. Roedd dail yr hydref, oedd yn goch fel gwaed, yn arnofio ar ddyfroedd tywyll y llyn ac yn ymgasglu wrth y glannau.

'Pwy yw hwnna?' gofynnodd Euan.

Roedd dyn mewn crys glas a jîns yn sefyll ym mhen pellaf y llyn.

'Hamish,' meddwn i. 'Y swyddog bywyd gwyllt ro'n i'n sôn wrthoch chi amdano.'

Gwthiais fy ffordd heibio Rob a seiclo o flaen y lleill.

'Helô, Hamish,' meddwn i.

Stopiodd Rob ac Euan wrth ein hymyl ni ar eu beiciau.

'Dyma Rob,' meddwn i, 'ac Euan.'

Nodiodd Hamish arnyn nhw, ond doedd e ddim yn gwenu'n siriol fel arfer.

'Dyw pethe ddim yn edrych yn dda, nac ydyn?' meddai.

'Beth?' Doedd gen i ddim syniad am beth roedd e'n sôn.

'Iris,' meddai. 'Dwyt ti ddim wedi sylwi?'

'Dwi ddim wedi edrych ers diwrnod neu ddau,' meddwn i.

Ysgydwodd Hamish ei ben. 'Dyw hi ddim wedi symud ers tridiau. Mae'r signal yn dod o wern fangrof. Dyw hi ddim wedi hedfan i bysgota na dod o hyd i fannau newydd i glwydo. Dyw pethau ddim yn edrych yn dda.'

Ciciais y llawr. 'Fe ddylwn i fod wedi edrych i weld lle roedd hi,' meddwn i.

'Dwyt ti ddim yn gallu gwneud dim am y peth,' meddai Rob.

'Fe addewais i,' meddwn i. 'Addewais i Iona y byddwn i'n gofalu am Iris.'

'Mae Rob yn llygad ei le,' meddai Hamish. Rhoddodd ei law ar fy ysgwydd. 'Does dim i'w wneud. Mae gweilch yn wynebu llawer o beryglon. Dim ond nawr wrth eu dilyn nhw ry'n ni'n gweld faint sy'n goroesi'r mudo hir.'

Symudais draw oddi wrth Hamish. 'Fe addewais i,' mynnais.

'Callum…' meddai Hamish.

'Fe ddo i o hyd i ffordd,' gwaeddais. I ffwrdd â mi i lawr y llwybr ar hyd glan y llyn, ond y cyfan y gallwn ei weld oedd drysfa o ddŵr yn llifo i wern fangrof werdd drwchus.

Pennod 25

'Dim o gwbwl.'

'Ond *pam lai*?' meddwn i.

Rhoddodd Mam y caserol yn drwm ar y bwrdd. 'Wel, i ddechrau, allwn ni mo'i fforddio. Wedyn mae'n rhaid i ti gael llwythi o frechiadau a thabledi malaria am wythnosau cyn y gelli di ystyried mynd yno. A dim ond un ar ddeg wyt ti, er mwyn popeth. "Na" yw'r ateb, Callum. Dwyt ti ddim yn mynd i Gambia, a dyna ddiwedd arni.'

Codais ar fy nhraed. 'Does dim chwant bwyd arna i,' meddwn i.

'Eistedd, Callum,' meddai Dad. Rhoddodd bentwr o datws ar fy mhlât. 'Hyd yn oed petaen ni'n gallu mynd yno, beth wedyn? Dy'n ni ddim yn gwybod dim am y lle. Sut bydden ni'n dod o hyd iddi mewn coedwig fangrof? Byddai fel edrych am nodwydd mewn tas wair.'

'Felly dyna ni, ie?' gwaeddais. 'Rhoi'r ffidl yn y to, fel'na?'

'Ie, Callum,' meddai Dad. 'Dyna'n union wnawn ni. Allwn ni wneud dim byd o fan hyn. Aderyn gwyllt yw hi. Rwyt ti'n gwybod hynny.'

Taflais fy nghyllell a'm fforc i lawr ar y bwrdd a rhedeg i'm hystafell wely. Taniais y cyfrifiadur ac edrych am signal Iris. Doedd e ddim wedi symud ers tridiau. Sut na sylwais i ar hynny? Dylwn i fod wedi cadw llygad arni. Dylwn i fod wedi edrych. Chwyddais y llun gymaint ag y gallwn. Roeddwn i bron yn gallu gweld coed unigol. Roedd Iris yno yn rhywle. Roeddwn i eisiau estyn i mewn drwy'r cyfrifiadur a'i chodi hi.

Efallai y gallwn i fynd i Gambia fy hunan rywsut. Chwiliais am wybodaeth i dwristiaid ar y we. Roedd llond y lle o westai ar hyd yr arfordir, a gwersylloedd llai a lletyau amgylcheddol yn y mewndir ar hyd yr afon. Roedd cyfeiriadau a gwefannau gan bob un.

Wrth gwrs, dyna ni!

Roedd angen i mi gysylltu â rhywun yn Gambia i chwilio am Iris.

Ysgrifennais lwythi o e-byst i westai, lletyau amgylcheddol a chwmnïau oedd yn arbenigo mewn teithiau gwylio adar. Anfonais e-byst at grŵp mewn eglwys ac at ysbyty. Anfonais un i lywodraeth Gambia, hyd yn oed.

Dim ond aros y gallwn ei wneud.

Daeth Dad â swper i'm hystafell.

'Mae'n ddrwg gen i,' meddai. Rhoddodd y plât ar y ddesg wrth fy ymyl. 'Nid ti sydd ar fai, cofia.'

Ochneidiais. 'Fe ddylwn i fod wedi cadw llygad arni.'

Rhoddodd Dad ei freichiau am fy ysgwyddau. 'Nid ti sydd ar fai fod Iona wedi marw.'

Y cyfan wnes i oedd syllu ar las tywyll tywyll sgrin y cyfrifiadur.

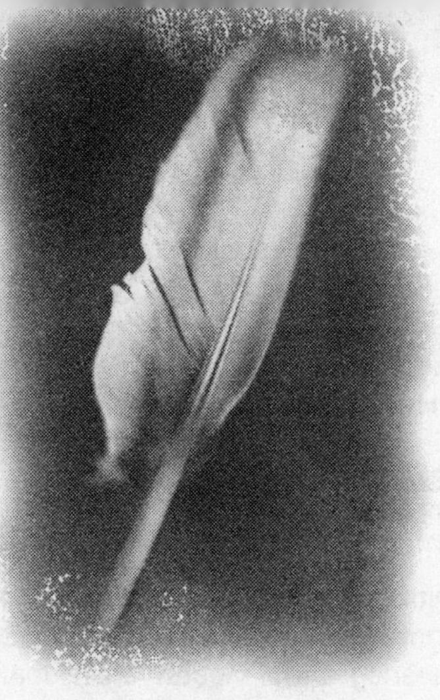

Pennod 26

Daeth Rob ac Euan yn ôl adref gyda fi y diwrnod canlynol.

'Oes rhywun wedi ateb?' meddai Euan.

Ysgydwais fy mhen. 'Naddo, dim ond dau e-bost a ddaeth 'nôl oherwydd bod y cyfeiriadau'n anghywir, ac un arall yn hysbysebu gwestai rhad.'

Eisteddodd Rob wrth fy nesg. 'Dere, 'te,' meddai. 'Gad i ni weld a oes rhywun arall wedi ateb erbyn hyn.' Taniodd fy nghyfrifiadur.

Pwysodd Euan a minnau dros ei ysgwydd. Cymerodd y cyfrifiadur oesoedd i gynhesu.

Cliciodd Rob ar fy e-byst.

Plîs gaf i e-bost, plîs, meddyliais.

Gwasgodd Rob yr eicon anfon/derbyn.

Roedd fy llygaid wedi'u hoelio ar y sgrin.

Wrthi'n derbyn negeseuon
Un neges wedi'i derbyn.

Oddi wrth: Jeneba Kah
Anfonwyd: 8 Hydref 15.30 ASG

Pwnc: Helô Callum

Helô Callum,
Jeneba Kah ydw i. Agorodd Doctor Jawara dy e-bost a gofyn i mi ysgrifennu atat ti. Dywedodd y byddai'n dda i mi ymarfer fy Saesneg. Dwi'n meddwl efallai mai esgus yw hynny a bod Dr Jawara yn gobeithio cael egwyl rhag fy nghwestiynau iddo. Ond mae hyn yn dda, oherwydd dyma'r tro cyntaf i mi fod ar gyfrifiadur. Dwi'n hoffi'r llun o dy aderyn di.

Mae'n ddrwg gen i, ond dwi ddim wedi ei gweld hi. Dwi yn yr ysbyty ac yn rhy bell o'r afon. Ond dwi wedi gweld adar fel hi'n pysgota yn yr afon wrth ymyl fy mhentref. Kulanjango yw ein henw ni arnyn nhw. Maen nhw'n hoffi pysgota pan fydd y llanw'n uchel iawn, neu'n isel iawn. Pysgotwr yw fy nhad ac mae e bob amser yn falch o weld y kulanjango, neu'r gweilch fel rwyt ti'n eu galw nhw, yn dod adref. Maen nhw'n dod â lwc dda iddo fe ddal nifer o bysgod. Pan fydd fy nhad a'm brawd yn dod i ymweld â fi yfory, byddaf i'n gofyn iddyn nhw chwilio amdani.

Mae'r Alban yn bell iawn. Dwi newydd edrych ar fap.
Oddi wrth Jeneba, 10 mlwydd oed.

Bachgen neu ferch wyt ti? Merch ydw i.

Curodd Rob ei ddwylo ar y ddesg. 'We-he!' gwaeddodd.

Syllodd Euan ar y sgrin. 'Rwyt ti wedi llwyddo,' meddai. 'Rwyt ti wedi'i gwneud hi, wyt wir.'

Roeddwn i'n wên o glust i glust. 'Alla i ddim credu'r peth,' meddwn i. 'Mae rhywun yno fydd yn gallu'n helpu ni. Fe ddown ni o hyd i Iris nawr, dwi'n siŵr o hynny.'

'Ysgrifenna 'nôl, 'te,' meddai Rob.

'Beth, nawr?' meddwn i. 'Ati hi? At Jeneba?'

Nodiodd Rob. 'Wel, at bwy arall?'

Codais fy nwylo dros y bysellau. Edrychais i fyny ar Euan. 'Beth ddweda i?'

Rholiodd Euan ei lygaid. 'Jyst dwed, Diolch yn fawr a gofyn iddi ddweud wrthon ni pan fydd hi'n dod o hyd i Iris.'

'O'r gorau,' meddwn i, 'o'r gorau.' Tynnais anadl ddofn, a dechrau teipio…

Oddi wrth: Callum
Anfonwyd: 8 Hydref 16:43 GMT

Pwnc: Chwilio am Iris

Helô Jeneba,
Diolch yn fawr iawn a rho wybod, plîs, os byddi di'n dod o hyd i Iris.
Callum (bachgen 11 oed)

'Dyna ni,' meddwn i. 'Mae braidd yn fyr.'

Eisteddodd Rob yn ôl yn y gadair. 'Mae'n iawn,' meddai. 'Anfona hi. Does dim pwynt syllu fel'na.'

Gwasgais yr eicon 'anfon' a gwylio'r neges yn diflannu. 'Dim ond aros y gallwn ni ei wneud nawr,' meddwn i.

Chwiliais am safle Iris ar ôl swper, ond roedd hi wedi diflannu'n llwyr o'r sgrin.

Mae hi bron yn nos, meddwn wrthyf fy hun. Dydy'r batri solar ddim wedi'i wefru, felly dyw e ddim yn gallu anfon signal. Ond roedd ofn arall yn ddwfn yn fy stumog. Roedd yn rhaid i mi gredu yn yfory. Roedd yn rhaid i mi gredu bod Iris yn dal yn fyw.

Pennod 27

Y diwrnod canlynol, deffrais â llwnc tost. Dydd Sadwrn oedd hi, yn oer ac yn llwyd. Roedd Dad wedi mynd i'r farchnad yn gynnar ac roedd Graham i ffwrdd dros y penwythnos gyda'i ffrindiau. Lapiodd Mam fi mewn cwilt a'm rhoi i eistedd o flaen y teledu. Prin y symudais drwy'r dydd, heblaw am edrych i weld a oedd negeseuon e-bost newydd wedi cyrraedd.

Ces i un ateb gan gwmni gwyliau adar oedd yn dweud nad oedden nhw'n mynd i'r rhan honno o Gambia.

Ond dim byd oddi wrth Jeneba.

Gwyliais fysedd y cloc tad-cu yn cripian rownd a rownd yn araf. Pylodd goleuni'r prynhawn ac aeth hi'n dywyll. Daliodd y teledu i swnian: cartwnau, pêl-droed, rhaglenni cwis, a golff. Daeth Dad adref â swper Tsieineaidd a photeli o Coke.

'Edrych pwy sy 'ma,' meddai.

Daeth Hamish i mewn ac eistedd wrth fy ymyl ar y soffa. 'Clywais i am yr e-bost,' meddai. 'Mae'n anhygoel. Rwyt ti wedi llwyddo i gysylltu â rhywun sy'n gallu chwilio am Iris.'

Codais fy ysgwyddau. 'Dwi ddim yn siŵr a fyddwn ni'n llwyddo,' meddwn i. 'Dwi ddim wedi clywed oddi wrth y ferch o Gambia heddiw.'

Daeth Mam i mewn â phowlenni o *chow mein* cyw iâr a'u rhoi nhw ar y bwrdd wrth y teledu.

'Fe ddwedaist ti y byddet ti'n dod o hyd i ffordd,' meddai Hamish.

'Dwi wedi'i gadael hi'n rhy hwyr,' meddwn i.

'Wyddost ti mo hynny,' meddai Dad. 'Rwyt ti wedi dod mor bell â hyn, pan oedd pawb arall yn barod i roi'r ffidl yn y to.'

'All rhywun nodi hwnna?' chwarddodd Mam. 'Dyw Dad byth yn fodlon cyfadde ei fod e wedi gwneud camgymeriad.'

'Dwi o ddifri,' meddai Dad. 'Mae'n profi'r peth, on'd yw e? Mae'n bosib gwneud unrhyw beth os wyt ti eisie rhywbeth go iawn.'

Nodiodd Hamish a chodi powlen a phâr o *chopsticks*. Doedd fawr o chwant bwyd arna i, felly gadewais nhw'n gwylio sioe ddawnsio a llusgo fy nghwilt i fyny'r grisiau.

Taniais y cyfrifiadur ac aros.

O'r diwedd, amser gwely, daeth e-bost arall oddi wrth Jeneba.

Oddi wrth: Jeneba Kah
Anfonwyd: 9 Hydref 21:00 GMT

Pwnc: Chwilio am Iris

Helô Callum,
Dim newyddion, mae arna i ofn.

Aeth fy nhad a'm brawd i bysgota heddiw ac maen nhw wedi bod yn chwilio am Iris. Hoffwn fod wedi gallu mynd gyda nhw, ond alla i ddim. Aeth myfyriwr meddygol o America o'r enw Max gyda nhw. Defnyddiodd ei GPS i geisio dod o hyd iddi. Dywedodd Max iddyn nhw fynd i'r man lle daeth signal diwethaf Iris ohono, ond doedd dim sôn amdani.

Mae'r kulanjango yn bwysig iawn i'r pysgotwyr. Mae fy nhad yn dweud y bydd yn ymweld â'r marabout. Dyn hysbys ein pentref ni yw e. Mae'r marabout yn ddall, ond mae e'n gweld pethau nad yw pobl eraill yn gallu eu gweld. Efallai y gall helpu i ddod o hyd i Iris. Ddaliodd fy nhad ddim pysgod heddiw.

Gobeithio y bydd gen i newyddion da i ti yfory.

Jeneba

Ffoniais Hamish ar ei ffôn bach. Dywedais wrtho nad oedden nhw wedi dod o hyd i Iris yn y man lle daeth y signal olaf a nawr roedd ei signal wedi diflannu. Roeddwn i bron yn gallu clywed siom Hamish ar y ffôn. Dywedodd efallai fod yr harnais oedd yn dal y trosglwyddydd wedi torri a dod yn rhydd. Roedden nhw i fod i dorri yn y pen draw. Efallai ei bod hi'n iawn a'i bod hi'n dal i hedfan o gwmpas.

Ond roeddwn i'n gwybod y gallai fod ym mol crocodeil yn rhywle hefyd.

Roedd pum niwrnod nawr ers i Iris aros yn yr unfan. Allwn i ddim peidio â meddwl bod rhywbeth o'i le. Os oedd hi'n fyw, byddai hi'n wan ac yn llwglyd erbyn hyn. Roedden ni'n rhedeg allan o amser.

Pennod 28

Oddi wrth: Jeneba Kah
Anfonwyd: 10 Hydref 06.30 GMT

Pwnc: Chwilio am Iris

Helô Callum,
Dwi newydd weld Max wrth iddo fynd o gwmpas y ward y bore 'ma. Aeth gyda fy nhad a'r pentrefwyr i ymweld â'r marabout neithiwr. Mae'r marabout yn byw mewn caban bach y tu allan i'n pentref ni rhwng y caeau cnau daear a'r mangrofau. Dywedodd Max fod y marabout wedi llosgi dail gwlyb ar dân bychan a llenwi'r caban â mwg melys oedd yn arogli fel blodau ar ôl glaw. Dywedodd fod y marabout wedi agor ei freichiau fel adenydd, a galw ar ysbryd yr adar. Cododd y mwg o'i dân fel aderyn mawr gwyn a hedfan allan dros y goedwig. Dywedodd Max nad oedd e wedi gweld dim byd tebyg erioed. Dwi ddim yn credu bod maraboutiaid ganddyn nhw yn America.

Heddiw mae'r marabout yn mynd yng nghwch fy nhad i ddod o hyd i Iris. Dywedodd wrth bobl y pentref ei fod wedi gweld yr aderyn hwn yn ei freuddwydion. Mae'n dweud ei fod yn cario dyfodol y pentref ar ei adenydd. Mae pawb o'r pentref yn mynd i chwilio am Iris hefyd.

Mae'r marabout yn iawn bob amser.

Mae Max yn ymuno â nhw. Mae'n mynd â'i gamera i ddangos y lluniau i mi pan fyddan nhw'n dod yn ôl.

Mae Dr Jawara yn aros i ddefnyddio'i gyfrifiadur nawr, felly fe ysgrifennaf i wedyn gyda newyddion am Iris.

Dy ffrind,
Jeneba

Darllenais y neges yn uchel i Mam a Dad ar y ffordd i'r eglwys.

'Mae'n swnio fel fŵdw i mi,' meddai Dad. 'Hynny yw, gwŷr hysbys a phethau fel 'na.'

'Falle fod ysbryd yr adar i'w gael,' meddwn i.

'Mae'n anodd credu hynny rywsut,' meddai Mam.

'Mae'n eitha tebyg i'r eglwys, mewn ffordd,' meddwn i. 'Maen nhw'n disgwyl i ni gredu yn yr Ysbryd Glân a llwythi o wyrthiau a phethau fel'na.'

'Fe ddylet ti hefyd,' meddai Mam.

Stopiodd Dad y car gyferbyn â mynwent yr eglwys. 'Dewch,' meddai. 'Gadewch i ni weld beth sy gan marabout Parsons i'w ddweud wrthon ni'r wythnos hon.'

Rhythodd Mam ar Dad. Chwarddais innau a'u dilyn o dan yr ywen ac i fyny'r llwybr i'r eglwys fach.

Rhoddodd y Parchedig Parsons ei bregeth o'i bulpud pren. Roedd y rhan uchaf wedi'i cherfio fel eryr a'i adenydd ar agor. Efallai fod yna ysbryd yr adar. Efallai fod y marabout yn gallu gweld Iris rywsut, a'i theimlo hi. Caeais fy llygaid a cheisio'i dychmygu hi yn y goedwig mangrof. Meddyliais am y signal olaf roeddwn i wedi'i nodi yn fy nyddiadur. Ceisiais feddwl beth allai fod wedi digwydd iddi, lle gallai hi fod, yr eiliad hon.

Gwthiodd Iris ei hun yn erbyn rhisgl llyfn y mangrof. Troellai'r llanw o gwmpas y gwreiddiau dryslyd, a gwibiai pysgod i mewn ac allan o'r cysgodion. Roedd yr hen anaf ar ei throed yn gwynio'n boenus. Roedd yn goch ac yn chwyddedig ac roedd crawn trwchus a strimyn o waed yn dod ohono. Roedd chwe noson wedi mynd heibio ers iddi ddal unrhyw bysgod.

Islaw, roedd neidr yn nofio drwy'r dyfroedd gwyrdd, ei phen uwchben yr wyneb a'r dŵr yn ddolenni y tu ôl iddi. Roedd ei thafod yn symud yn yr aer, gan arogli, gan deimlo am ysglyfaeth. Dechreuodd lithro tuag at Iris. Curodd hithau ei hadenydd a chodi i'r aer llonydd a chynnes, uwchben y mangrofau a'r afon werdd. Roedd y llanw'n symud yn araf o gwmpas y twmpathau mwdlyd lle roedd crocodeilod yn hepian yn y gwres. Roedd pryfed yn suo yn yr awyr a chwch physgotwr yn arnofio gan bwyll. Dim ond y pysgod yn gwibio o dan y dŵr oedd yn torri'r llonyddwch.

Plymiodd Iris. I lawr â hi, ei hadenydd wedi'u plygu a'i chrafangau ar led. Rhuthrodd yr arwyneb gwastad i gwrdd â hi. Saethodd fflach o arian yn ddwfn, ond llwyddodd ei throed iach i gydio mewn pysgodyn.

Curodd ei hadenydd i godi o'r afon, a gwelodd gysgod du crafangau a phig creulon uwch ei phen.

Trodd Iris i ffwrdd. Dilynodd yr eryr pysgod hi, gan ei herlid ar draws y dŵr agored. Gallai hi glywed chwiban ei adenydd a chwa o aer yn cael ei gwthio i lawr. Gadawodd i'r pysgodyn gwympo, a dyma'r eryr yn ei ddal yn ei grafangau a hedfan i ffwrdd.

Hedfanodd Iris yn ôl i'r mangrofau i hen goeden farw ar lan cilfach. Roedd ei chorff yn boenus a thwymyn yn ei llethu. Gwthiodd ei hun drwy risgl oedd yn pydru i'r boncyff cau, a phwyso yn erbyn y pren llaith, oer. Caeodd ei llygaid a disgyn drwy dywyllwch diddiwedd, yn ddyfnach o hyd i gwsg difreuddwyd y dwymyn.

Pennod 29

Roeddwn i'n methu canolbwyntio ar ddim byd drwy'r dydd. Roeddwn i wedi edrych i weld a oedd negeseuon e-bost newydd ar ôl bod yn yr eglwys, ond doedd dim. Doedd dim signal oddi wrth Iris chwaith.

'Mae angen i ti gael ychydig o awyr iach,' meddai Mam. 'Fe wnaiff les i dy lwnc tost di.'

'Fe gei di ddod â'r defaid i mewn o'r cae gwaelod,' meddai Dad. 'Mae angen i fi fwrw golwg dros y rhai cloff eto.'

Datodais gadwyn Kip, ein ci defaid ifanc. Roedd braidd yn rhy awyddus pan gafodd Dad ef gyntaf. Pan ddaeth ffrindiau a phlant bach ganddyn nhw i ymweld â ni unwaith, corlannodd Kip nhw i gyd i un o'r ysguboriau. Ond fel arfer, corlannu'r defaid y byddai'n ei wneud nawr, neu'r ieir i'w cael nhw i mewn i'w cwt.

Aeth Kip a minnau i lawr y cwm tuag at y pentref. Roedd y tir yn gorslyd o dan draed ac olion teiars wedi gwneud hafnau dwfn yn y mwd wrth y clwydi. Tasgais drwy'r pyllau, a'r dŵr bron â chodi dros ben fy esgidiau glaw.

Roedd Kip o'm blaen yn barod ac yn gwibio tuag at y defaid ym mhen pellaf y cae. Fel arfer byddai Dad yn mynd ag ef allan gydag Elsie, yr hen gi, er mwyn iddo ddysgu ganddi. Chwibanais ar Kip ond roedd y gwynt yn fy erbyn. Rhuthrodd i mewn yn rhy gyflym a gwasgarodd y defaid. Yna doedd e ddim yn gwybod pa ffordd i redeg. Chwibanais eto ac fe glywodd y tro hwn. Anfonais ef o gwmpas cefn y defaid a gwneud iddo orwedd. Pwyllodd y defaid a dod at ei gilydd unwaith eto. Yna chwibanais arno i ddod â nhw tuag ataf yn araf. Roedd yn dda am wneud hyn hefyd, gan symud y naill ffordd a'r llall, yn eu gwthio ymlaen. Symudai'n gyflym, a'i fol yn isel. Doedd ei lygaid byth yn gadael y defaid. Roedd Dad yn dweud bod hon yn un o hen reddfau'r bleiddiaid oedd wedi cael ei fridio i mewn i gŵn defaid. Roedd o hyd yn rhyfeddod i mi fod yr ymddygiad hwn yn rhan ohonyn nhw, yn amhosib ei dynnu oddi arnyn nhw. Fel y gweilch yn mudo. Gwnaeth i mi feddwl beth tybed allai fod wedi ei gladdu'n ddwfn ynof fi.

Gadewais i Kip yrru'r defaid heibio i mi ac i fyny'r bryn i'r buarth. Chwythodd gwynt oer yn fy wyneb yr holl ffordd yn ôl. Roedd y cymylau'n isel ac yn llwyd, yn llusgo dros ben y bryniau. Roedd Dad a Graham yn disgwyl am y defaid yn y buarth. Clymais Kip yn ôl yn ei gwb ac ychwanegu rhagor o wellt a llond llaw o fisgedi cŵn cyn sleifio i mewn i'r gegin.

'Dwi wedi gwneud cyflaith,' meddai Mam.

Cyflaith oedd fy hoff losin. Cydiais mewn darn neu ddau a mynd am fy ystafell wely.

Y bore 'ma roeddwn i wedi credu y byddai'r marabout yn dod o hyd i Iris. Ond nawr roedd hi'n anodd credu hynny. Mae'n debyg mai Mam oedd yn iawn. Sut gallen nhw ddod o hyd iddi mewn milltiroedd ar filltiroedd o goedwig fangrof? Gallai hi fod yn unrhyw le.

Taniais y cyfrifiadur i edrych ar fy negeseuon e-bost.

Roedd neges arall oddi wrth Jeneba, gydag atodiad.

Roeddwn i'n ofni mentro agor y neges. Os mai newyddion drwg oedd ynddi, byddai hynny'n ormod i mi.

Cliciais ar y neges. Doedd dim testun, dim ond un atodiad.

Daliais fy anadl.

Ac agor yr atodiad.

Syllai Iris arnaf o'r sgrin â'i llygaid melyn llachar. Roedd dwylo mawr tywyll wedi'u cau am ei chorff. Roedd ei phlu yn anniben a di-liw, ac roedd un goes yn hongian yn llipa oddi tani. Ond Iris oedd hi, yn bendant.

Roedd hi'n fyw.

PENNOD 30

'Anhygoel,' meddai Euan. 'Maen nhw wedi dod o hyd iddi.' Eisteddodd wrth fy nghyfrifiadur ar ôl yr ysgol y diwrnod wedyn i edrych ar lun Iris.

'Mae neges arall wedi cyrraedd,' meddai Rob, 'a llun arall.'

Oddi wrth: Jeneba Kah
Anfonwyd: 11 Hydref 15.30 GMT

Pwnc: Iris

Helô Callum,
Gobeithio dy fod wedi derbyn y ffotograff ddoe.
Max dynnodd e â'i gamera. Rhewodd y cyfrifiadur wrth i mi ei anfon a doedd Dr Jawara ddim yn hapus iawn. Ond mae Max wedi trwsio'r cyfrifiadur a dwi'n cael ei ddefnyddio unwaith eto.

Roedd ddoe yn ddiwrnod cyffrous iawn. Aeth y pentrefwyr i gyd allan ar gychod gyda fy nhad a'r marabout. Trueni nad oedd hi'n bosib i mi fod yno hefyd. Dangosodd Max y ffotograffau mi. Dywedodd fod y cyfan fel parti mawr. Dywedodd y marabout wrthyn nhw am edrych yn y goedwig drwchus ac mewn coed oedd yn pydru. Dywedodd nad oedd hi'n bell o'r man lle roedd fy nhad a Max yn edrych ddoe.

Buodd pawb yn chwilio am Iris drwy'r prynhawn. Daeth fy mrawd o hyd iddi mewn coeden gau wedi pydru.

Daliodd y pysgotwyr lawer o bysgod ddoe. Mae Iris wedi dod â lwc dda iddyn nhw.

Mae Max yn gofalu am Iris mewn sied y drws nesaf i'w fflat. Mae hi'n wan iawn. Mae e wedi bod yn bwydo pysgod wedi'u malu iddi drwy diwb yn ei stumog oherwydd ei bod hi'n rhy wan i'w bwydo ei hunan. Mae hen friw ar ei throed sydd wedi troi'n gas felly mae Max yn rhoi moddion gwrthfiotig iddi.

Roedd Max eisiau dod ag Iris i mewn i'r ward i mi gael ei gweld hi, ond aeth Mama Binta yn wyllt gacwn. Dywedodd nad oedd hi eisiau unrhyw 'iâr bysgota' ar ei ward hi. Mae Mama Binta'n meddwl mai iâr yw pob aderyn. Yr wythnos diwethaf daeth tair gafr i mewn i'r ysbyty a chnoi blancedi. Aeth Mama Binta mor wyllt, buodd hi bron â'i rhoi nhw yn y crochan cawl.

Mama Binta yw'r brif nyrs yma. Mae hi'n gweld popeth. Os nad yw popeth yn lân ac fel pin mewn papur, mae hi fel crocodeil sydd â dant yn gwynio. Mae'r meddygon hyd yn oed yn ei hofni.

Mae hi'n dweud fy mod i'n boendod oherwydd fy mod i'n gofyn gormod o gwestiynau ac yn cadw'r plant eraill yn y ward yn effro. Dyna pam mae hi'n fy nghario i swyddfa Doctor Jawara i ysgrifennu atat.

Dwi'n gallu clywed Mama Binta yn dod i'm nôl i, felly mae'n rhaid i mi fynd nawr. Dwi wedi atodi ffotograff arall mae Max wedi'i dynnu. Byddaf i'n ysgrifennu atat eto i roi hanes Iris.

Dy ffrind, Jeneba

Cliciais ar yr atodiad, gan ddisgwyl gweld Iris eto, fel petai angen rhagor o brawf arnaf ei bod yn fyw. Ond nid Iris oedd yno. Dyna lle roedd ffotograff o ferch â chroen brown tywyll a'r wên fwyaf a welais erioed.

Jeneba oedd hi.

'Hi yw hi, go iawn?' meddai Euan gan wthio pen Rob allan o'r ffordd.

'Ie, mae'n debyg,' meddwn i.

Syllon ni i gyd ar y ffotograff. Roedd Jeneba yn eistedd ar wely ysbyty a dau gast plastr enfawr am ei choesau. Roedd plentyn arall, tipyn yn iau, yn cysgu wrth ei hymyl yn yr un gwely. Roedd y gwely'n edrych yn hen, fel rhywbeth allan o siop hen bethau. Roedd rhwd coch yn dangos drwy'r paent gwyn oedd yn plicio. Yn y cefndir roedd clamp o nyrs yn gwisgo iwnifform las yn pwyso dros wely arall. Gorweddai tri phlentyn bach yn y gwely hwnnw. Roedd un bachgen yn edrych mor fach, mor denau. Roedd yn sownd wrth fag mawr o hylif clir uwch ei ben â thiwb hir blastig oedd yn mynd i mewn i'w fraich. Roedd yn edrych fel petai'n cysgu'n drwm, yn farw, bron â bod. Y tu hwnt i'r rhesi o welyau roedd drws agored yn arwain at heulwen lachar.

'Maen nhw wedi'u gwasgu i mewn fel sardîns,' meddai Rob. 'Does dim digon o welyau gyda nhw?'

'Mae fel fan hyn yn yr Alban,' meddai Euan. 'Fe gafodd llawdriniaeth Nain ei chanslo dair gwaith achos nad oedd digon o welyau.'

Tynnodd Rob wyneb. 'Ych a fi! Dychmygwch orfod rhannu gwely gyda'ch nain.'

Crynodd Euan. 'Dwi'n credu y byddai'n well gen i farw.'

Gwthiais Euan i ffwrdd i gael gwell golwg ar y ffotograff o Jeneba. 'Beth ddigwyddodd i'w choesau hi, tybed?' meddwn i.

Cododd Euan ei ysgwyddau.

'Crocodeil,' meddai Rob.

'Beth?'

'Fe fentra i mai cael ei chnoi gan grocodeil wnaeth hi,' meddai Rob. Caeodd ei ddwylo at ei gilydd. 'Mae'n digwydd o hyd yn Affrica. Un funud fe fyddai hi wedi bod yn padlo yn yr afon, yn nôl dŵr, a'r funud nesa… snap.'

'Dwyt ti ddim yn gwybod hynny,' meddwn i.

'Fe fentra i unrhyw beth mai crocodeil oedd e,' meddai. Pwysodd draw a dechrau ysgrifennu neges ar y cyfrifiadur.

Oddi wrth: Callum, Rob ac Euan
Anfonwyd: 11 Hydref 18.50 GMT

Pwnc: Crocodeil

Helô Jeneba,
Rob ydw i, un o ffrindiau Callum.

Gafodd dy goesau eu cnoi gan grocodeil? Gwelais i raglen deledu lle llwyddodd dyn i ddianc oddi wrth grocodeil drwy wthio ffon i'w lygad. Sut llwyddaist ti?

Diolch am achub Iris.
Oddi wrth Rob.

'Alli di ddim anfon y neges 'na,' meddwn i.

Gwasgodd Rob anfon/derbyn a gwenu. 'Dwi newydd wneud.'

Pennod 31

Oddi wrth: Jeneba Kah
Anfonwyd: 12 Hydref 21.30 GMT

Pwnc: Iris

Helô Callum,
Dwed wrth Rob nad ydw i wedi bod yn ymladd â chrocodeil, ond fe gofiaf wthio ffon i'w lygad os bydda i'n gwneud. Dwi yn yr ysbyty achos cefais fy nharo gan lorri. Sgidiodd hi yn y mwd yn ystod y tymor glawog a thorri fy nghoesau. Dwi mewn plastr ac yn aros iddyn nhw wella.

Dwi'n gweld eisiau'r pentref, ond dyw hi ddim yn rhy ddrwg yma yn yr ysbyty. Dwi'n gwneud ffrindiau gyda'r plant newydd sy'n dod ar y ward. Dwi'n esgus mai doctor ydw i a dwi'n ceisio dyfalu beth sy'n bod arnyn nhw. Gyda'r nos mae Max yn eistedd ar fy ngwely ac yn dangos darluniau o'i lyfrau meddygol i mi. Mae e'n gwybod fy mod i eisiau bod yn feddyg ryw ddiwrnod. Mae e'n dweud ei fod e'n gobeithio na fydda i mor frawychus â Mama Binta.

Daeth Mariama â gwaith ysgol i mi a Yassa cyw iâr heddiw, felly dwi'n lwcus dros ben. Yassa cyw iâr yw ei rysáit arbennig hi, fy hoff bryd. Buodd Mariama'n helpu i ofalu amdanaf pan oeddwn i'n fach ar ôl i fy mam farw, ond hi yw ein hathrawes ni hefyd. Gwnes i awr o fathemateg gyda hi. Roedd hynny'n hwyl. Colli'r ysgol yw'r peth gwaethaf am fod yn yr ysbyty.

Mae Max wedi tynnu lluniau o'r pentref i ti gael gweld. Gobeithio y byddi di'n hoffi'r llun o'r pysgodyn a ddaliodd fy mrawd bach i Iris.

Sut le yw'r Alban? Dywedodd Max ei fod yn lle oer a gwlyb ac mai dim ond rhywbeth o'r enw haggis mae pobl yn ei fwyta. Beth yw haggis beth bynnag?

Fe anfonaf newyddion am Iris atat bob dydd.

Dy ffrind,
Jeneba

Dangosais yr e-bost a'r ffotograffau i Rob ac Euan yn yr ysgol y diwrnod wedyn.

'Dyw hi ddim yn gall,' meddai Rob. 'Fe fyddwn i'n barod i dorri fy nghoesau i gael amser *o'r* ysgol.'

'Nawr dyna beth *yw* pysgodyn,' meddai Euan. 'Dychmygwch dynnu hwnna mewn.'

Roedd y ffotograff yn dangos bachgen bach ddim hŷn na saith neu wyth oed, yn dal pysgodyn arian hir i fyny. Roedd yn rhaid i'r bachgen fynd ar flaenau ei draed i gadw'r gynffon oddi ar y llawr.

Edrychais drwy'r ffotograffau eraill. Roedd Max wedi tynnu rhai o bentref Jeneba oedd yn dangos llawer o gytiau crwn bach ac adeiladau brics coch o gwmpas ardal agored. Roedd yr awyr yn edrych yn las tywyll llachar a'r ddaear yn goch fel rhwd, yn sych ac yn llychlyd. Eisteddai criw o ddynion yn y cysgod o dan goeden foldew. Yn yr heulwen, roedd menywod mewn dillad lliwgar a phatrymog yn gosod ffrwythau a llysiau allan i'w gwerthu.

Y ffotograff olaf oedd un o Iris yn sied Max.

'Dyna pam nad y'n ni'n cael signal oddi wrth Iris,' meddai Euan. 'Achos ei bod hi mewn sied dywyll.'

'Rwyt ti'n gallu gweld y trosglwyddydd ar ei chefn hi a'r erial hir yn dod ohono,' meddai Rob. 'Fe fyddai hi wedi marw nawr oni bai am hwnna.'

Nodiais. 'Fe wellith hi nawr,' meddwn i. 'Dwi'n hollol siŵr o hynny.'

'Fe allen ni anfon lluniau o'r Alban at Jeneba,' meddai Euan.

'Syniad gwych. Fe allwn ni dynnu llun o nyth Iris,' meddwn i. 'Fe ofynna i i Mam a gawn ni fenthyg ei chamera hi ar ôl ysgol.'

Roedd Mam yn eistedd wrth fwrdd y gegin yn gwneud cyfrifon y fferm. Rhoddodd y camera digidol roedd hi'n ei gadw yn ei bag llaw i ni. 'Gwnewch yn siŵr eich bod chi'n tynnu lluniau ohonoch chi eich hunain,' meddai. 'Fe fydd Jeneba am weld sut rai ydych chi.'

Pwysodd Graham dros y bwrdd a'i helpu ei hun i ddarn enfawr arall o deisen siocled. 'Dyw hi ddim eisie gweld wyneb salw Callum,' meddai, gan ollwng briwsion gludiog dros y cyfrifon. 'Fe allai wneud i'r cyfrifiadur rewi eto. Dwi'n synnu bod cyfrifiaduron gyda nhw allan yn Uganda beth bynnag.'

'Gambia,' meddwn i. 'Mae cyfrifiaduron ym mhobman nawr.'

Sychodd Mam y briwsion oddi ar y papurau. 'Dwyt ti ddim yn gwneud llawer ar hyn o bryd, wyt ti, Graham? Gwna rywbeth defnyddiol a mynd â Callum a'i ffrindiau allan yn y Land Rover i dynnu lluniau o'r fferm cyn iddi nosi.'

Rholiodd Graham ei lygaid. 'Dewch, 'te,' meddai. Cydiodd yn allweddi'r Land Rover a mynd allan drwy'r drws.

Aeth Graham â ni dros y fferm i gyd. Yn sydyn, roedden ni'n yrwyr rali. Dwi'n siŵr y byddai Mam wedi cael haint petai hi wedi'i weld e'n troi â'r brêc llaw.

Ond cawson ni luniau gwych o'r fferm. Tynnodd Graham lun ohonon ni gyda'r mynyddoedd yn y cefndir a thynnais innau lun o nyth Iris ar yr ynys yn y llyn. Pan aethon ni'n ôl i'r ffermdy, roedd Mam wedi dadrewi haggis o'r rhewgell i ni a thynnon ni lun o hwnnw hefyd.

Yn nes ymlaen y noson honno, lawrlwythais y ffotograffau i'r cyfrifiadur a'u hatodi wrth neges e-bost. Gwasgais y botwm 'anfon' a dyma'n lluniau ni o'r Alban yn hedfan drwy'r seiberofod mewn chwinciad, yr holl ffordd at Jeneba ac Iris. Yr holl ffordd i Affrica.

* * *

Bob dydd wedi hynny ysgrifennodd Jeneba am Iris ac anfon rhagor o luniau roedd Max wedi'u tynnu. Roedd Iris yn edrych yn gryfach wrth i'r dyddiau fynd heibio. Dechreuodd ei phlu edrych yn llachar ac yn raenus. Anfonodd lun ohoni'n sefyll ar ddarn o bren, yn trwsio'i phlu. Roedd hynny siŵr o fod yn arwydd da. Roedd yr hen anaf ar ei throed yn edrych yn well hefyd. Roedd y lluniau cyntaf wedi dangos lwmp trwchus o gnawd coch oedd yn faw i gyd ac roedd croen ei throed yn smotiau tywyll. Ond nawr, bron i bythefnos yn ddiweddarach, roedden nhw'n dangos bod y clwyf bron â gwella.

Roedd Max wedi tynnu rhagor o ffotograffau a chlipiau fideo byr o'r pentref a'r afon hefyd a theimlwn fel petawn i yno go iawn. Roeddwn i bron yn gallu dychmygu fy hun yn cerdded i lawr i'r afon werdd lydan, lle roedd y cychod pysgota hir pren yn gorwedd ar fwd y llanw isel. Roeddwn i bron yn gallu teimlo haul poeth Affrica ar fy wyneb a chlywed seiniau'r pentref, plant yn chwarae a menywod yn pwnio sorgwm a milet. Roeddwn i yno, bron iawn.

Bron iawn.

Y noson honno roedd un neges e-bost arall yn disgwyl amdanaf.

Oddi wrth: Jeneba Kah
Anfonwyd: 25 Hydref 20.40 GMT

Pwnc: Iris

Helô Callum,
Mae yfory'n ddiwrnod da iawn. Mae Max wedi penderfynu gadael Iris yn rhydd. Mae'n dweud ei bod hi'n gryf nawr ac mae angen iddi fynd yn ôl i'r gwyllt. Mae e'n mynd i'w rhyddhau hi ar doriad y wawr fel bod y diwrnod cyfan ganddi i ddal pysgod.

Mae Doctor Jawara yn dweud ei fod yn mynd i dynnu'r plastr oddi ar fy nghoesau yfory, felly byddaf innau'n rhydd hefyd.

Rwy'n rhy gyffrous i gysgu. Ond mae Mama Binta yn dweud os af i gysgu y bydd hi'n gadael i mi weld Max yn rhyddhau Iris yfory. Dwi'n meddwl efallai nad yw Mama Binta mor ffyrnig ag y mae hi'n esgus bod.

Byddaf i'n ysgrifennu atat nos yfory gyda newyddion da.

Dy ffrind, Jeneba.

Pennod 32

Rhuthrais adref o'r ysgol y diwrnod wedyn i weld a oedd neges e-bost newydd. Ond doedd dim un. Eisteddais wrth fy nghyfrifiadur bron drwy'r noswaith, ond ddaeth dim newyddion oddi wrth Jeneba.

Na'r diwrnod wedyn, na'r diwrnod wedi hynny. Anfonais negeseuon e-bost ati ond ches i ddim ateb.

Eisteddais gyda Rob ac Euan yn yr ystafell gyfrifiaduron yn yr ysgol. Roedden ni i fod i wneud ymchwil i'r Chwyldro Ffrengig.

'Falle bod toriadau trydan yno,' meddai Euan.

'Wyt ti wedi edrych i weld ble mae Iris?' meddai Rob. 'Os y'n nhw wedi'i gadael hi'n rhydd, bydden ni'n cael signal, oni fydden ni?'

Doeddwn i ddim wedi edrych. Doeddwn i ddim wedi meddwl am y peth.

Cadwodd Euan olwg ar yr athrawes a theipiais innau god Iris i mewn.

Daeth ei signal yn hollol eglur. Roedd yn dangos ei bod hi wedi hedfan ar draws yr afon o bentref Jeneba ar y bore Llun, a threulio'r diwrnod ar hyd cilfach fechan. Y diwrnod wedyn roedd hi wedi hedfan tua'r gogledd ar hyd yr arfordir ger y ffin â Senegal.

'Felly fe lwyddon nhw i'w gadael hi'n rhydd,' meddai Euan.

'Ond dy'n ni ddim wedi clywed oddi wrth Jeneba,' meddwn i.

Syllodd Euan dros fy ysgwydd. 'Dim ond aros y gallwn ni wneud.'

Roedd yn rhaid i ni aros am wythnos arall cyn derbyn neges e-bost.

Oddi wrth: Jeneba Kah
Anfonwyd: 3 Tachwedd 16.00 GMT

Pwnc: Iris

Helô Callum,
Mae'n ddrwg gen i nad ydw i wedi ysgrifennu, ond dwi ddim wedi bod yn dda. Cafodd y castiau eu tynnu o'm coesau ond mae'r toriadau yn un goes yn rhy wael, a dyw'r esgyrn ddim wedi gwella. Mae haint ynddi ac mae hynny wedi bod yn rhoi twymyn i mi. Mae Dr Jawara yn meddwl y bydd yn rhaid iddo dorri fy nghoes i ffwrdd.

Aeth fy nhad i weld y marabout neithiwr. Cafodd y marabout weledigaeth arall. Y tro hwn, gwelodd fi'n cerdded yn uchel uwchben y byd ar draws cefnfor o gymylau gwyn. Mae fy nhad yn meddwl bod hyn yn golygu fy mod i'n mynd i farw. Mae'r marabout yn iawn bob amser. Ond methu cerdded byth eto sy'n codi'r ofn mwyaf arnaf.

Dwi wedi anfon llun o Iris y diwrnod y gadawon ni hi'n rhydd. Gadawodd Max i mi wneud. Roeddwn i wrth fy modd yn ei gweld hi'n hedfan i ffwrdd ar ei hadenydd mawr cryf. Roeddwn i eisiau ei dilyn hi fry i'r awyr. Roedd y pentrefwyr i gyd yno a buon nhw'n gweiddi hwrê ac yn curo dwylo. Roedd llygaid Mama Binta hyd yn oed yn goch ac yn dyfrhau. Dywedodd hi mai llwch oedd yn ei llygaid hi, ond doedd Max a minnau ddim yn ei chredu hi.

Fe ysgrifennaf i pan gaf gyfle. Dwi'n meddwl amdanat ti ac Iris bob dydd.

Dy ffrind, Jeneba

Agorais yr atodiad. Roedd yn llun da, yn dangos Iris yn ffrwydro allan o ddwylo Jeneba, ei hadenydd anferth ar led, a'i llygaid melyn dwys wedi'u hoelio ar yr awyr uwchben. Roedd bron yn union fel yr eiliad pan oeddwn i a Iona wedi rhyddhau Iris yr holl fisoedd yn ôl. Dylwn fod wedi teimlo'r un wefr wrth weld y llun o Iris yn cael ei rhyddhau, ond doeddwn i ddim.

Yn lle hynny, y cyfan roeddwn i'n ei deimlo oedd hen deimlad trwm yn ddwfn yn fy mrest. Roedd Jeneba filoedd o filltiroedd i ffwrdd. Roedd hi'n sâl iawn. Ac yn sydyn roeddwn i'n teimlo'n hollol anobeithiol.

Pennod 33

'Wela i ddim pam na allan nhw wella'i choesau hi,' meddai Rob. 'Hynny yw, mae'r gyrwyr rasio 'na'n cael damweiniau cas ac mae llwythi o fetel gyda nhw yn eu coesau. Mae eu lluniau pelydr-X nhw yn y papur, gyda sgriwiau a barrau metel yn dal eu hesgyrn nhw at ei gilydd.'

'Falle nad yw ei theulu hi'n gallu fforddio hynny,' meddai Euan.

'Mae gyda fi bedwar can punt wedi'u cynilo,' meddwn. 'Mae Mam yn dweud nad ydw i'n cael ei ddefnyddio tan y bydda i'n hŷn, ond bydden i'n fodlon ei ddefnyddio fe ar gyfer hyn.'

'Mae tua ugain punt gyda fi,' meddai Euan. 'Faint fyddai'n ei gostio?'

'Ysgrifenna a gofyn,' meddai Euan. 'Dyna'r unig ffordd y cawn ni wybod.'

Dyna wnaethon ni. Roedd Rob ac Euan yn chwarae gêmau cyfrifiadur yn fy ystafell wely pan gawson ni ein hateb.

Oddi wrth: Max Walker
Anfonwyd: 6 Tachwedd 14.20 GMT

Pwnc: Jeneba

Helô Callum,
Max sy'n ysgrifennu atat ti. Mae Jeneba'n sâl iawn ar hyn o bryd. Mae'r dwymyn wedi gafael ynddi ac mae Dr Jawara yn meddwl y gall fod malaria arni hefyd. Mae'n ddrwg gen i ond alla i ddim dangos dy negeseuon e-bost iddi. Gallen nhw roi gobaith gwag iddi. Yn dy wlad di neu yn America, efallai y gallai hi gael llawdriniaeth i wella'i choes. Ond rydyn ni yn Affrica. Yn yr ysbyty hwn dwi wedi gweithio gyda rhai o'r meddygon a'r nyrsys gorau dwi wedi cwrdd â nhw erioed. Maen nhw'n gweithio'n galed yn erbyn y ffactorau. Ond dim ond hyn a hyn y gallan nhw ei wneud. Gwlad dlawd yw hon a dydy'r ysbytai ddim yn gallu fforddio'r offer na'r hyfforddiant ar gyfer triniaeth mor gymhleth.

Ond rwyt ti a dy ffrindiau'n garedig iawn yn cynnig eich arian eich hunain.

Mae Jeneba yn berson arbennig iawn. Petai unrhyw beth y gallen ni ei wneud, bydden ni'n ei wneud e.

Dal ati i ysgrifennu; dwi'n gwybod ei bod hi'n hoffi cael dy hanes.

Max

'Felly dyna ni,' meddwn i wrth Rob ac Euan. 'Does dim byd i'w wneud. Bydd Iris yn gallu hedfan 'nôl i'r Alban, ond fydd Jeneba byth yn cerdded eto.'

Cododd Euan ei ysgwyddau a chwympo'n ôl ar y gwely.

Ond dechreuodd Rob chwerthin.

'Beth sy mor ddoniol?' gofynnais.

'Cau dy geg, Rob,' meddai Euan gan estyn cic iddo.

Eisteddodd Rob i fyny ar y gwely, yn fyr ei wynt. 'Mae'n syml on'd yw e?' meddai. 'Fe all Jeneba hedfan i'r Alban, yn union fel Iris.'

'Cau dy geg, Rob.' Roeddwn i'n wyllt gacwn nawr. 'Dyw hynny ddim yn ddoniol o gwbl, mae'n jôc sâl.'

Chwarddodd Rob eto a tharo 'mhen yn ysgafn. 'MEWN AWYREN... Y TWPSYN!!'

'Beth?' meddwn i.

'Mewn awyren,' meddai Rob. 'Allwn ni dalu am docyn awyren i'w hedfan hi fan hyn, ac wedyn fe all hi gael triniaeth yma yn yr Alban.'

'Gwych,' meddwn i.

'Bydd angen rhagor o arian arnon ni,' meddai Euan.

'Fe godwn ni arian,' meddwn i. 'Fel y ffair ysgol. Dwi'n siŵr byddai Mam yn fodlon gwneud teisennau.'

'Ac fe allwn i ddal pysgod,' meddai Euan.

'Faint o arian fyddai ei angen arnon ni?' gofynnodd Rob.

Codais fy ysgwyddau. Doedd gen i ddim syniad.

'Cer i nôl papur a phensiliau, Callum,' meddai Euan. 'Gad i ni weithio allan faint o stondinau sydd eu hangen arnon ni.'

Pennod 34

Ar ôl wythnos o redeg o gwmpas roedden ni'n barod. Talodd Mam a Dad am gael defnyddio neuadd y pentref. Roedd Graham a minnau wedi gyrru o gwmpas y ffermydd a'r pentrefi gyda'r trelar i gasglu pethau nad oedd pobl eisiau eu cadw. Roedd sawl hen deledu gyda ni, set o lestri cinio, dillad, teganau, a chwt ieir a dwy iâr i'w gwerthu. Roedd y rhan fwyaf o bobl yn falch o gael gwared ar rai pethau cyn y Nadolig.

Roedd Rob wedi argraffu posteri a thaflenni'n hysbysebu'r ffair, ac roedd wedi seiclo o gwmpas y tai i gyd yn eu dosbarthu nhw. Ar y taflenni roedd Rob wedi rhoi llun o Jeneba a'i choesau mewn plastr, ac yn ei ffordd arbennig ei hun roedd wedi ysgrifennu, 'Helpwch ni i achub coes Jeneba cyn iddi gael ei thorri i ffwrdd.'

Roedd Euan wedi mynd allan yn gynnar iawn ac wedi llwyddo i ddal dau frithyll tew o'r afon. Roedd Mam wedi coginio digon o deisennau a bisgedi i fwydo byddin gyfan, ac roedd Dad wedi rhoi ei hoff wisgi yn y raffl. Ychwanegodd Hamish at wobrau'r raffl gyda mynediad blwyddyn am ddim i'r warchodfa natur roedd e'n gweithio ynddi. Roedd hi'n addas fod llun o un o'r gweilch oedd yn nythu yno ar flaen taflen y warchodfa natur.

Roedd hi bron yn ddau o'r gloch, ac eisoes, gallwn weld ciw o bobl y tu allan i neuadd y pentref yn aros i ddod i mewn. Bu Mam yn ffysian gyda'r wrn te ac aeth mam Euan a mam Rob ati i osod byrddau a chadeiriau allan.

Roedden ni ar fin agor pan wthiodd Rob ei ffordd drwy ddrws y cefn. Roedd ei feic gyda fe hefyd.

'Cer â'r beic 'na o 'ma,' meddai ei fam. 'Dy'n ni ddim eisie mwd fan hyn.'

Edrychais draw ar Rob. Doedd ei feic ddim yn fwdlyd. Doedd e ddim yn fwdlyd o gwbl. Roedd fel pin mewn papur, fel beic newydd sbon.

'Rho fe yn yr arwerthiant,' meddai Rob yn dawel.

'Ti'n jocan,' meddwn i.

Ysgydwodd ei ben.

'Mae'n rhaid iddo fe werthu am bedwar can punt, o'r gorau? Dim llai,' meddai.

'Wyt ti'n siŵr?' Allwn i ddim credu'r peth.

'Gwna fe,' meddai. Rhedodd ei ddwylo ar hyd cyrn y beic, yna trodd ar ei sawdl a rhedeg allan o'r neuadd, wrth i'r cwsmeriaid cyntaf ddod i mewn i'r ffair.

* * *

Roedd pethau'n wyllt i ddechrau. Daeth pobl i dwrio drwy bentyrrau o ddillad a llyfrau a DVDs. Gwerthodd y te a'r coffi'n dda, ac aeth teisennau Mam i lawr yn wych. Stondin o CDs ac offer electronig ail-law oedd gen i. Roedd beic Rob wrth y stondin hefyd. Roedd llawer o ddiddordeb ynddo fe, ond chynigiodd neb ei brynu. Daeth Mam draw â diod a darn o gacen siocled i mi.

'Mae pethau'n mynd yn dda,' gwenodd.

'Faint ry'n ni wedi'i godi, tybed?' gofynnais.

Cododd Mam ei hysgwyddau. 'Dwn i ddim, ond mae'n rhaid bod y te a'r coffi'n unig wedi cymryd dros ganpunt.'

Aeth hi ati i weini ar y cwsmeriaid wrth i mi gnoi fy nheisen. Doeddwn i ddim yn cymryd llawer o sylw o'r stondin nes i mi glywed llais Mam.

'Helô, Mr McNair, sut mae'r hwyl?'

Edrychais i fyny. Roedd tad-cu Iona wrth y stondin. Roedd yn edrych yn llai nag roeddwn i'n ei gofio, yn fwy crwm. Chwiliodd ym mhoced ei got am ei waled a'i dal hi allan yn ei ddwylo brown, fel lledr. Roedden nhw'n gryndod i gyd.

'Fe bryna i'r beic,' meddai.

Gwenodd Mam. 'Mae e braidd yn ddrud, mae arna i ofn,' meddai.

Agorodd Mr McNair ei waled a thynnu arian papur allan. Rhoddodd nhw ar y bwrdd gan eu cyfrif fesul ugain punt.

'Mr McNair…' protestiodd Mam.

'Mae e yno i gyd,' meddai. 'Pedwar can punt.'

'Mae'n llawer o arian… allwch chi mo'i fforddio fe,' meddai Mam.

Tynnodd Mr McNair bapur degpunt arall allan a'i roi ar y bwrdd. 'Ac fe gymera i'r ddau frithyll ar y stondin nesa hefyd.'

Rhoddodd y pysgodyn mewn bag plastig, cydio yng nghyrn beic Rob, cerdded allan o'r neuadd, a diflannu.

Cododd Mam yr arian a syllu ar ei ôl.

Doedd dim syniad gen i sut roeddwn i'n mynd i ddweud wrth Rob.

Pennod 35

Erbyn pump o'r gloch roedd neuadd y pentref yn wag. Roedd rhai bocsys o lyfrau a bag o hen ddillad ar ôl, ond roedden ni wedi gwerthu'r rhan fwyaf. Gwnaeth Mam debotaid ffres o de ac eisteddon ni i fwyta gweddill y teisennau a chyfri'r arian. Roedd pentyrrau o arian mân a bagiau o arian papur. Daeth Rob a'i dad aton ni yn y diwedd.

'Wel, y cyfanswm yw,' meddai Hamish a gwên fawr ar ei wyneb, 'mil, pedwar cant chwe deg dau o bunnau ac wyth ceiniog.'

Gwaeddodd yr oedolion hwrê. Ond wnes i ddim. Doedd e ddim yn ddigon. Roedden ni wedi cael gwybod ar ddiwedd yr wythnos nad dim ond hedfan Jeneba draw fan hyn oedd y broblem. Doedd hi ddim yn dod o Brydain felly byddai'n rhaid talu am ei thriniaeth, a byddai'n costio degau ar filoedd o bunnau. Es i eistedd ar yr un bwrdd â Rob ac Euan.

'Mae'n ddechrau,' meddai Rob. 'Fe allwn ni godi rhagor.'

Nodiais. Doeddwn i ddim eisiau i Rob feddwl ei fod wedi gwerthu ei feic am ddim byd.

'Mae e wedi cael ei werthu, 'te?' meddai Rob.

'Mae'n ddrwg gen i,' meddwn i.

'Dwi'n dal ddim yn gallu credu dy fod ti wedi'i wneud e,' meddai Euan. 'Roedd y beic 'na'n rhan ohonot ti. Beth wnei di heb olwynion?'

Llithrodd Rob i lawr yn is yn ei gadair. 'Mae coesau gyda fi o hyd,' meddai gan hanner chwerthin. 'Fe fydd yn rhaid i fi ddechrau rhedeg yn lle 'ny.'

Roedd hi wedi nosi erbyn i ni glirio'r neuadd a rhoi'r cadeiriau i gadw. Cerddon ni allan i'r maes parcio tra oedd Mam yn cloi'r drws.

Rhoddodd Euan bwt i mi. 'Draw fan'na,' meddai.

Edrychais ar draws y ffordd. O dan y golau stryd roedd Mr McNair yn sefyll gan ddal beic Rob.

Sylwodd Rob hefyd, ond cadwodd ei ben i lawr a dilyn ei dad i'r car.

Gwthiodd Mr McNair y beic draw aton ni a syllu ar Rob o dan ei aeliau trwchus. Syllodd pawb yn lletchwith ar ei gilydd.

Roedd llygaid Mr McNair wedi'u hoelio ar Rob. 'Felly ti yw Rob, y bachgen sydd â'r geg fawr a'r olwynion mwy,' meddai. 'Ceg fawr a dim cwrteisi, dyna glywais i unwaith.'

Roedd Mr McNair yn sefyll mor agos aton ni, gallwn weld y gwythiennau fel corynnod dros wyn ei lygaid, a'i groen rhychiog yn flewiach i gyd.

Syllodd Rob ar ei feic ac yna ar y llawr.

'Dere,' meddai tad Rob, gan dynnu Rob i ffwrdd.

Gwthiodd Mr McNair y beic yn agosach, nes ei fod bron â chyffwrdd â Rob. Roedd tic... tic... tician yr olwynion yn uchel yn y tawelwch. 'Mae'n debyg,' meddai, 'dy fod ti wedi cael gafael ar dy gwrteisi erbyn hyn.'

Trodd Rob i edrych arno.

Syllodd Mr McNair arno'n sarrug. 'Mae'n well i ti gael dy feic yn ôl hefyd. Does gen i ddim defnydd iddo fe.' Gwthiodd y beic i ddwylo Rob a rhoi ei law dros y bag plastig lle roedd pysgod Euan. 'Ond fe gadwa i'r rhain. Dwi ddim wedi cael brithyll ffres ers tro byd.' Rhoddodd y bag o dan ei gesail a cherdded yn araf i fyny'r stryd dywyll.

'Arhoswch!' galwodd Mam. 'Mr McNair... falle y gallwn i goginio'r brithyll 'na i chi. Gydag ychydig o bersli a menyn...'

Trodd Mr McNair a nodio. 'Diolch, Mrs McGregor, byddai hynny'n wych.'

Syllais ar Rob. Roedd yn gegrwth.

'Fe fydd yn rhaid i ti reidio adre nawr,' meddai ei dad.

Gwenodd Rob o glust i glust. Cododd ei goes dros y beic a gwneud cylch mawr o gwmpas y maes parcio, gan wibio i fyny ac i lawr y llethrau porfa.

'GWYLIA!' gwaeddais.

Saethodd car i mewn i'r maes parcio a sgrechian cyn aros y tu ôl i ni, ei oleuadau mawr yn llachar. Agorodd dynes ifanc y drws. Roedd ganddi wallt golau a dillad smart.

'Ai dyma neuadd y pentre?' gofynnodd.

Nodiodd Dad.

Gwenodd hi arnon ni i gyd. 'Dwi'n chwilio am Callum McGregor,' meddai.

Edrychodd pawb arnaf i. 'Fi yw hwnnw,' meddwn.

Estynnodd ei llaw. 'Karen Burrows,' meddai. 'Fe glywais i fod ffair bentre yma.

'Mae hi wedi dod i ben, mae arna i ofn,' meddwn i. 'Ry'ch chi wedi'i cholli hi.'

'O?' Cododd ei haeliau. 'Dim ots. Dwi'n gweithio i'r *Highland Chronicle* a eisie sgrifennu erthygl am eich gwaith codi arian.'

Roeddwn i'n gwybod am yr *Highland Chronicle*, y papur lleol oedd yn cynnwys newyddion a digwyddiadau a hysbysebion lleol. 'Mae'n ddrwg gen i, ond ry'ch chi braidd yn hwyr,' meddwn i.

'Dim ots am y ffair,' meddai. Estynnodd yn ei char am ei llyfr nodiadau a'i recordydd llais. Gwenodd arnaf, y math o wên sy'n dal cyfrinachau. 'Clywais i dy fod ti'n codi arian i ferch o Affrica…'

Nodiais, ond tynhaodd cwlwm tyn yng ngwaelod fy stumog.

'… a,' meddai, 'bod y cyfan oherwydd gwalch y pysgod a achubaist ti yma yn yr Alban. Ydy hynny'n wir?'

PENNOD 36

'Sut daeth y gohebydd 'na i wybod am y gwalch?' gofynnais. 'Ddwedon ni ddim byd wrth neb.'

Roedden ni'n sefyll ym maes parcio neuadd y pentref yn gwylio goleuadau cefn car Karen Burrows yn diflannu i fyny'r ffordd.

Edrychodd Euan ar ei dad, yna arna i. 'Dwi'n credu mai fi sy ar fai,' meddai. 'Do'n i ddim yn bwriadu gwneud. Ro'n i'n siarad am y codi arian wrth un o'r bobl sy'n dosbarthu'r papurau i siop Dad. Fe ddywedais i fod y ferch o Gambia wedi dod o hyd i walch y pysgod, ond ddwedais i ddim mai o fan hyn roedd hi'n dod. Prin y soniais i am y peth.'

'Wel, mae'r fenyw 'na'n mynd i'w roi e yn y papurau'r wythnos nesa,' meddwn i.

Camodd Hamish rhyngon ni. 'Dyw hi ddim yn gwybod ble rwyt ti'n byw,' meddai.

'Ddim eto,' meddwn i'n ffyrnig. 'Fe fentra i y bydd pobol yn busnesu dros y fferm i gyd cyn hir. Ar ôl i Iris ddod 'nôl, fydd hi byth yn ddiogel eto.'

'Dim ond papur lleol sy'n rhedeg y stori,' meddai Dad. 'Dyw hi ddim fel petai'r peth yn mynd i fod yn newyddion cenedlaethol.'

'Wel, dim ond un person sydd ei angen i ddwyn yr wyau,' meddwn i'n swta.

Agorodd Dad ddrws y car. 'Dewch, gadewch i ni fynd adre. Mae wedi bod yn ddiwrnod hir.'

Rhedodd y *Chronicle* y stori ddydd Llun. Dangosodd Dad y papur i mi pan gyrhaeddais adref o'r ysgol. Roedd hi'n rhyddhad gweld nad oedd e ar y dudalen flaen. Erthygl fach oedd hi tua chanol y papur, yn dangos llun o walch y pysgod a'r poster roedd Rob wedi'i wneud.

'Ti'n gweld?' meddai Dad. 'Fydd dim llawer yn sylwi arni.'

'Falle dy fod ti'n iawn,' meddwn i.

'Dwi bob amser yn iawn,' meddai Dad gyda gwên.

Teipiais god Iris i mewn i'r cyfrifiadur. Roeddwn i eisiau dweud wrthi ei bod hi'n ddiogel iddi ddod yn ôl. Byddwn i'n edrych lle roedd hi bob dydd nawr. Roedd hi fel petai'r cysylltiad hwnnw yn ei chadw'n fyw, fel petai hi'n gwybod fy mod i yno, yn ei gwylio hi. Roedd hi'n dal yno yn Gambia, ger yr arfordir. Dangosai'r ffotograffau draethau tywod hir a llydan ac aberoedd afonydd gyda choedwigoedd mangrof. Roedd ei signal wedi igam-ogamu ar draws cilfach yr afon am bron i wythnos. Dywedodd Hamish mai'r wythnos gyntaf ar ôl cael ei rhyddhau fyddai'r anoddaf. Dyna'r adeg dyngedfennol. Ond roedd Iris wedi'i gwneud hi. Roedd hi'n dal i hedfan, yn dal i hela. Roedd hi'n fyw.

Roeddwn i'n gweld ei heisiau hi. Doeddwn i ddim wedi bod i edrych ar y nyth ers oesoedd. Addewais i mi fy hun y byddwn i'n codi'n gynnar y diwrnod wedyn ac yn mynd i weld a oedd yn gyfan ar ôl y stormydd. Roedd yn esgus i fynd yno, mewn gwirionedd. Ar ôl wythnos o drefnu'r ffair codi arian, roeddwn i eisiau amser ar fy mhen fy hun, i fyny ar y bryniau. Gosodais y larwm am hanner awr wedi chwech.

Deffrais cyn i'r larwm ganu. Roedd hi'n dal yn dywyll y tu allan ac yn dawel. Roedd llwydrew yn disgleirio ar y ffenest fel patrymau o redyn yng ngolau hanner lleuad. Codais, gwisgo sawl haen o ddillad a mynd lawr i'r gegin. Roedd hi'n gynnes yno oherwydd gwres y ffwrn. Torrais ddarn o fara o'r dorth roedd Mam wedi'i gadael allan, gwisgo fy esgidiau, a llithro allan i'r buarth.

Roedd golau yn y sied wyna. Roedd Dad ar ei draed yn barod, yn edrych ar y defaid. Clywais y gwellt yn siffrwd wrth i Kip ddod allan i gwrdd â mi. Roedd ei gynffon yn curo ar ochrau pren y cwb, a'i anadl yn ager gwyn yn yr aer oer.

'Dere, 'te,' meddwn i. Plygais ymlaen i ddatod ei gadwyn a rhedeg fy nwylo dros ei flew trwchus. Rhoddais fy llaw dros ei drwyn. 'Ust, Kip, dim sŵn.' Ac fel petai'n deall, cerddodd yn dawel o'm blaen, allan o'r buarth ac i fyny'r llwybr oedd yn arwain i'r llyn.

Roeddwn i'n dwlu ar y fferm cyn y wawr. Roedd yn lle gwahanol. Roedd y rhew ar y pyllau dŵr yn adlewyrchu golau'r lleuad ac yn goleuo'r llwybr. Roedd amlinell y bryniau yn feddal ac yn dywyll, fel tonnau ar fôr yng nghanol nos, ac roedd y goedwig yn dwmpath o dywyllwch oedd mor ddwfn, roedd hi'n edrych yn amhosibl mynd iddi. Doedd dim lliwiau, dim ond glas tywyll.

Roeddwn i'n fyr fy ngwynt erbyn i mi gyrraedd y llyn. Roedd y lleuad yn belen wen ddisglair yn y dŵr. Allwn i ddim gweld y nyth yn dda iawn; roedd bron wedi'i guddio o'r ddaear. Os nad oeddech chi'n gwybod ei fod yno, fyddech chi'n ei golli e.

Meddyliais am fynd i'r tŷ coeden, dim ond i edrych. Ond allwn i ddim. Lwyddodd Iona a minnau ddim i gysgu yno dros nos. Eisteddais ar ddarn o graig wastad oedd yn ymestyn allan dros y llyn, a chnoi'r darn o fara o'm poced.

Roedd goleuni gwan yn lledu dros awyr y dwyrain ac roedd y nos yn pylu ar y fferm. Dechreuodd lliwiau'r dydd ymddangos, gwyrdd golau'r caeau, brown y llyn, a phelydrau o heulwen yn addewid o dan y cymylau.

Efallai y byddai Iona a minnau wedi aros yma, ar y graig hon, a gwylio gwawr yn union fel hon. Efallai.

Taflais y crwstyn i Kip. 'Dere,' meddwn, 'mae'n rhaid i fi fynd i'r ysgol ac mae gan Dad waith i ti heddiw.'

Neidiais i lawr o'r graig a chwibanu ar Kip, ond roedd yn sefyll yn hollol lonydd, yn syllu i'r cwm islaw, a'i glustiau i fyny.

'Dere, Kip,' meddwn i. Dilynodd fi i lawr y llwybr wrth yr afon, ond yna arhosodd eto. Cododd ei wrychyn a daeth chwyrnu isel o'i wddf.

Gwelodd Kip y dyn o'm blaen i.

Prin byddai unrhyw gerddwyr ar ein fferm ni. Nid mor gynnar â hyn yn y bore, beth bynnag.

Cwrddon ni ar gornel, lle roedd y tro'n serth. Tasgodd cerrig mân rhydd o dan draed y dyn.

'Helô,' meddai. Roedd ganddo acen grand o dde'r Alban. Gwenodd fel petai'n disgwyl cwrdd â mi yma. 'Callum McGregor, ie?'

Nodiais.

Daliodd ei gamera i fyny. Roedd yn un o'r rhai mawr â lens anferth. 'Fyddai gwahaniaeth gen ti petawn i'n tynnu dy lun di? Dwi'n ysgrifennu erthygl am y gwalch y pysgod a achubaist ti.'

Gallwn deimlo Kip yn gwasgu yn erbyn fy nghoes. 'Mae'n rhaid i fi fynd,' meddwn. 'Dwi wedi colli defaid.'

Gwthiais heibio iddo a rhedeg i lawr y llwybr. Pan drois ar waelod y bryn, gallwn ei weld yntau'n dod i lawr y llwybr hefyd. Rhedais nerth fy nhraed am adref. Roedd yn rhaid i mi ddweud wrth Mam a Dad a Hamish. Roedd yn rhaid i mi ddweud wrthyn nhw fod rhywun yn busnesu ar y fferm.

Rhuthrais i'r buarth. Roedd Mam yn sefyll wrth y drws cefn a golwg ddifrifol ar ei hwyneb.

'Mae tad Euan wedi bod ar y ffôn,' meddai. 'Mae camerâu teledu a newyddiadurwyr fel pla dros y pentre. Maen nhw eisie siarad â ti. Well i ni fynd lawr yna.'

Pennod 37

Stopiodd Dad y car ar y ffordd y tu ôl i neuadd y pentref. Gallem weld bod y maes parcio'n llawn o griwiau camera a newyddiadurwyr. Roedd Mrs Wicklow yn sefyll ym mynedfa gefn neuadd y pentref yn amneidio arnom i ddod i mewn. Dringodd Mam, Dad, Graham a minnau dros y ffens gefn ac i mewn drwy'r drws.

Roedd y neuadd dan ei sang, roedd hi'n edrych fel petai pawb o'r pentref yno. Gallwn glywed y newyddiadurwyr yn curo ar y drws.

'Mae'n newyddion mawr,' meddai tad Euan, 'ac mae'n amlwg bod pawb eisie gwybod.' Ysgydwodd ei ben. 'Mae mwy o newyddiadurwyr ar eu ffordd yma, a chriw teledu o CNN hyd yn oed. Mae'n newyddion i'r byd i gyd nawr.'

'Mae'n ddrwg gen i,' meddai Euan.

Rhoddodd Mrs Wicklow ei llaw ar fy mraich. 'Ddywedwn ni ddim wrthyn nhw am y gwalch y pysgod sy ar eich fferm chi.'

Edrychais o gwmpas ar y wynebau oedd yn syllu arna i. 'O, mae pawb yn gwybod felly, ydyn nhw? Man a man i fi fynd â'r newyddiadurwyr i fyny i'r llyn nawr.'

'Ond dy'n nhw ddim yn gwybod ble mae'r nyth,' meddai Euan.

'A does neb yn mynd i ddangos iddyn nhw,' meddai tad Rob.

Rhythais arnyn nhw i gyd. 'Fyddan nhw ddim yn hir cyn gweithio'r peth allan. Fydd Iris byth yn ddiogel eto.'

Yr eiliad honno daeth sŵn pren yn hollti ac agorodd y drysau led y pen. Llifodd newyddiadurwyr a dynion camera i mewn i'r neuadd.

Daliodd Euan yn fy mraich. 'Paid â dweud gair,' sibrydodd. 'Mae cynllun gyda Rob a fi. Aros amdanon ni, a phaid â dweud gair.' Gwyliais nhw'n gwthio'u ffordd drwy'r dyrfa ac mynd allan i'r awyr agored.

'Dyna fe.'

Trois a gweld y newyddiadurwr tal roeddwn i wedi'i weld ar y bryn yn camu tuag ataf.

Estynnodd ei law. 'Dyma'r bachgen all roi'r hanes i gyd i ni.'

Camais yn ôl. Yn sydyn roedd y camerâu i gyd yn pwyntio ataf. Roedd tua deg o bobl yn gofyn cwestiynau yr un pryd. Roedd popeth fel petai'n arafu ac yn cyflymu ar unwaith. Gallwn glywed Mam yn galw arnaf o gefn y dyrfa. Roedd hi'n swnio'n bell i ffwrdd. Gafaelodd dynes yn dyner yn fy mraich a'm harwain y tu allan.

'Y ffordd yma, Callum,' gwenodd. Dilynais hi, gan wasgu drwy siacedi, cotiau a chamerâu.

Sylweddolais fy mod yn sefyll o flaen camera teledu, wrth ymyl y ddynes â'r wên. 'Ry'n ni'n mynd ar deledu byw,' meddai. 'Mae pawb eisie cael gwybod am dy stori ryfeddol di.'

Roedd y camerâu'n rhedeg ac roedd hi'n siarad. Yna roeddwn i'n dweud wrthi am Jeneba, am y codi arian i dalu am ei llawdriniaeth yn yr Alban ac am y pentrefwyr yn Gambia yn dod o hyd i walch y pysgod o signal y lloeren yn y coedwigoedd mangrof.

'A'r gwalch y pysgod yma,' meddai, gan wenu o hyd. 'Sut dest ti i wybod amdano?'

Aeth fy ngheg yn sych. Llyncais fy mhoer. Roedd llond y lle o ficroffonau'n pwyntio ata i. Allan o gornel un llygad gwelais fan yn sgrechian i stop yn y maes parcio. Gwelais Rob ac Euan a Hamish yn rhedeg tuag ata i. Roedd popeth fel petai'n digwydd yn araf.

'Gwalch y pysgod,' meddai'r ddynes â'r wên. 'Ddest ti o hyd iddo fe fan hyn, yn y cwm hwn?'

Agorais fy ngheg i siarad ond yna rhoddodd Hamish ei fraich amdanaf a chamu o flaen y camera.

'Naddo,' meddai Hamish. 'Mae Callum a'i ffrindiau fan hyn wedi bod yn dilyn un o'r gweilch yn y warchodfa natur lle dwi'n gweithio. Roedd pâr yn bridio yno gyda ni'r haf diwetha. Fel y gwyddoch chi, maen nhw'n adar sydd mewn peryg ac mae camera cylch cyfyng a weiren rasel yn eu gwarchod nhw. Mae croeso i bawb sy eisie gweld y nyth ddod gyda fi i'r warchodfa i'w weld e nawr.

Eisteddais yn drwm mewn cadair. Roeddwn i wedi ymlâdd. Roedd car y newyddiadurwyr olaf wedi gadael, gan ddilyn Hamish ar y daith bymtheg milltir i'r warchodfa natur.

Gwnaeth Mam a'i ffrindiau baneidiau o de i bawb o'r pentref a chyn hir roedd hi'n dipyn o barti yno.

Rhoddodd tad Rob ei law yn ysgafn ar fy nghefn. 'Mae'r gwalch ar dy fferm yn gyfrinach i ni hefyd. Ry'n ni i gyd yn helpu'n gilydd pan fydd rhywbeth fel hyn yn digwydd.'

'Sut roedd pawb yn gwybod?' meddwn i.

'Doedd neb yn gwybod tan heddi,' meddai tad Rob. 'Ond fe welodd Mr McNair y newyddiadurwyr yn cyrraedd yn gynnar y bore 'ma. Fe welodd e newyddiadurwr yn mynd am y llyn a dyfalodd mai yno roedd nyth y gwalch. Dwedodd Mr McNair wrth Mrs Beatty yn swyddfa'r post ac fe ddwedodd hi wrth bawb arall. Dyna pam daethon ni i gyd yma, i atal y newyddiadurwyr rhag busnesu o gwmpas y fferm. Ddwedon ni wrthyn nhw dy fod ti gyda ni.'

'Cael a chael oedd hi,' meddai Rob.

Roedd Euan yn wyn fel y galchen. 'Prin ei gwneud hi wnaethon ni.'

'Sut roedd e'n gwybod?' meddwn i. 'Sut roedd Mr McNair yn gwybod am y gweilch ar ein fferm ni?'

Rhoddodd Mam gwpanaid o de ar y bwrdd wrth fy ymyl ac eistedd. 'Fe ddaeth o hyd i flwch o bethau Iona, ei lluniau hi ac yn y blaen. Fe gofiodd ei dad yn dweud wrtho fod gweilch yn arfer bod yn y cwm hefyd. Felly mae'n debyg ei fod wedi rhoi dau a dau at ei gilydd.'

Cyrhaeddodd mam Rob y neuadd â thomen o facwn ac wy. 'Man a man i fi wneud brecwast i chi i gyd,' meddai. 'Ry'ch chi'n hwyr i'r ysgol yn barod. Dwi ddim yn meddwl y bydd hanner awr arall yn gwneud llawer o wahaniaeth.'

Roedden ni'n gorffen bwyta ein bacwn ac wy pan gyrhaeddodd car neuadd y pentref. Daeth y newyddiadurwr tal roeddwn i wedi'i weld o'r blaen drwy'r drws.

Dechreuodd Mam glirio'r poteli sos coch a brown. 'Maen nhw i gyd yn mynd i'r ysgol nawr, mae arna i ofn,' meddai.

Tynnodd y dyn ei ffôn bach o'i boced ac edrych drwy ei negeseuon. 'Mae angen i fi fynd dros ambell beth gyda Callum. Dyna i gyd.'

'Does dim llawer o amser ganddo fe, felly brysiwch.' Gwisgodd Mam ei chot a chodi ei bag llaw.

Gwenodd y dyn arni. 'Mae angen i mi gael gwybod beth yw rhif yr elusen ar gyfer Jeneba. Mae ein desg newyddion ni wedi derbyn arian tuag at ei thriniaeth ym Mhrydain yn barod.'

Eisteddodd Mam, gan gydio'n dynn yn ei bag llaw. 'Am faint o arian rydyn ni'n sôn?'

Edrychodd y dyn drwy ei negeseuon eto. 'Wel, dim ond awr sydd ers i'r darllediad ddigwydd, ond mae rhoddion o ryw ddeng mil o bunnoedd yn barod.'

Bu bron i fi dagu ar fy macwn. 'Deng mil?'

'Ie,' meddai'r dyn. Edrychodd drwy ei negeseuon eto. 'O, ac mae llawfeddyg orthopaedig yn Llundain, sy'n dwlu ar adar. Mae e wedi cynnig gwneud y llawdriniaeth am ddim.'

Pennod 38

Daeth rhagor o arian i mewn drwy gydol y dydd, a'r diwrnodau wedyn. Cafwyd cyfraniadau gan bobl dros y byd i gyd, o Ganada, Japan, Ffrainc, ac America. Talodd un o'r papurau newydd am rywun i fod yn gyfrifol am yr elusen ar gyfer Jeneba a threfnu ei thaith i Brydain.

Digwyddodd popeth mor gyflym. Roedd y peth allan o'n dwylo ni, allan o'n rheolaeth ni. Roedd yna ffotograffau o Jeneba yn y gwely yn yr ysbyty yn Gambia, ffotograffau o'r pentref ac o'r afon. Roedd fy ngeiriau i a'r stori wedi cael eu troi'n erthyglau cylchgrawn a phapur newydd. Yn sydyn roedd Jeneba'n ffrind i bawb arall, yn eiddo i bawb arall. Roeddwn i'n hapus drosti. Ond roeddwn i'n teimlo fy mod i wedi'i cholli hi. Doedd hi ddim wedi ateb unrhyw negeseuon e-bost. Roedd yn rhaid i mi ddarllen y papurau newydd i gael gwybod beth oedd yn digwydd.

'Bydd yn amyneddgar,' meddai Mam. 'Mae'n debyg ei bod hithau'n teimlo'r un fath hefyd. Yn sydyn mae pobol yn rheoli ei bywyd hi. Mae hi wedi bod yn sâl, cofia.'

Arhosais, a doedd dim angen poeni. Anfonodd Jeneba neges e-bost:

Oddi wrth: Jeneba Kah
Anfonwyd: 1 Rhagfyr 13.30

Pwnc: Hedfan fel Iris

Helô Callum,
Mae'n ddrwg gen i nad ydw i wedi ysgrifennu cyn hyn. Mae hi wedi cymryd oesoedd i glirio'r haint yn fy nghoes. Ond dwi'n ddigon iach i deithio nawr. Pan ddywedodd Dr Jawara wrtha i fy mod i'n mynd i Brydain i wella fy nghoes, allwn i ddim credu'r peth. Diolch yn enfawr i'r pentref am fy helpu. Dwi'n meddwl o hyd, efallai bod y marabout yn anghywir y tro hwn. Efallai na fydd ei freuddwyd amdanaf yn cerdded dros y cefnfor o gymylau'n dod yn wir. Efallai y byddaf yn cerdded go iawn unwaith eto.

Mae llawer o newyddiadurwyr wedi bod yma hefyd. Mae Mama Binta yn dweud eu bod nhw'n waeth na geifr y pentref, yn crwydro i mewn i'r ysbyty fel y mynnan nhw. Ond dwi'n eu hoffi nhw. Maen nhw'n ddoniol. Maen nhw'n dod â llyfrau a phensiliau a theganau i ni.

Mae popeth wedi digwydd mor gyflym. Yfory, dwi'n hedfan i Lundain. Dwi mor gyffrous. Does neb o'r pentref wedi bod mewn awyren o'r blaen. Mae angen nyrs arnaf i deithio gyda mi, felly mae Mama Binta yn dod hefyd. Dywedodd Dr

Jawara ei fod yn teimlo trueni dros yr holl feddygon o Brydain! Dwi'n meddwl bod Mama Binta wedi clywed, achos mae Dr Jawara wedi bod yn cuddio rhagddi drwy'r dydd.

Mae yfory'n ddiwrnod trist hefyd achos mae Max yn mynd yn ôl i America. Rydyn ni'n cael parti iddo fe heddiw. Rhoddodd Max ei lyfrau meddygol i mi. Mae'n dweud y bydd eu hangen nhw arnaf pan fyddaf i'n feddyg. A dwi'n mynd i fod yn feddyg ryw ddiwrnod, Callum. Mae'r arian rwyt ti wedi'i godi yn ddigon i mi gael mynd i'r ysgol ac yna i goleg. Doeddwn i erioed wedi gweld Mama Binta yn gwenu cymaint â phan gafodd hi wybod hyn. Mae Mama Binta yn dweud ei bod hi eisiau bod yn feddyg unwaith. Dwi'n credu y byddai hi wedi bod yn feddyg gwych hefyd.

Efallai y gallaf ddod i'th weld di yn yr Alban. Ydy e'n bell o Lundain? Byddwn i wrth fy modd yn gweld y mynyddoedd a'r afonydd sydd yn dy luniau di. Gobeithio y byddaf yn gweld Iris rywbryd eto hefyd.

Dy ffrind,

Jeneba.

PENNOD 39

Aeth yr ychydig fisoedd nesaf heibio mor gyflym. Adeg y Nadolig, anfonodd pobl o'r pentref ddillad a llyfrau at Mama Binta a Jeneba. Ffoniodd Mama Binta ni i ddweud bod Jeneba yn gwneud yn dda, ond ei bod hi wedi cael pedair llawdriniaeth ar ei choes yn barod a'i bod hi'n flinedig bron drwy'r amser. Roeddwn i wedi anfon cerdyn Nadolig a llythyr, ond dim ond yn y Flwyddyn Newydd y ces i lythyr yn ôl oddi wrthi.

4 Ionawr

Blwyddyn Newydd Dda, Callum.

Rwy'n ysgrifennu o'm gwely yn yr ysbyty. Does gen i ddim cyfrifiadur felly dwi ddim yn gallu anfon neges e-bost, ond efallai pan fyddaf yn ddigon cryf gall Mama Binta fynd â fi i'r gwe-gaffi sydd ar y stryd o dan fy ffenest.

A wnei di ddiolch yn fawr i'r bobl o'r pentref am y rhoddion caredig. Roedd Mama Binta wrth ei bodd gyda'r siwmperi anfonaist ti. Mae hi'n teimlo mor oer yn Lloegr. Mae hi'n gwisgo'r tair siwmper ar yr un pryd!!!

Cawson ni syrpréis nawr yn ssys i gyd i ddawnsio gyda'i gilydd serch hynny. Aeth Mama Binta hyd yn oed i ymuno â nhw, a wyddwn i ddim ei bod hi'n gallu dawnsio.

Mae'r strydoedd yma yn hardd iawn gyda goleuadau lliwgar. Mae carw'n fflachio ar y siop gyferbyn â'm hystafell i, hyd yn oed Mae Mama Binta yn dweud nad yw hi'n gwybod a yw hi'n ddydd neu'n nos yn Llundain. Mae hi'n gweld eisiau'r awyr dywyll gartref.
Heddiw gwelais eira. Aeth un o'r nyrsys â mi allan i'r stryd. Gwyliais yr eira'n disgyn a cheisiais ei ddal yn fy ngheg. Roedd plu eira mawr gwyn drosof i gyd. Glanion nhw ar fy ngwallt ac ar fy wyneb a'm dillad. Yn agos iawn, maen nhw'n edrych fel sêr bach, miliynau ar filiynau ohonyn

nhw. Dywedodd y nyrs wrtha i fod pob pluen yn wahanol. Does dim un yr un fath; mae pob un yn arbennig.

Oes eira yn yr Alban?

Gobeithio y byddaf yn gallu dod i dy weld di ryw ddiwrnod.

Dy ffrind,
Jeneba.

Chawson ni ddim eira go iawn yn yr Alban tan ddiwedd mis Chwefror. A phan ddechreuodd hi fwrw eira, roedd e'n drwchus ac yn ddwfn. Roedd y ffermydd a'r bryniau a'r pentref yn wyn i gyd. Chawson ni ddim ysgol am bron i wythnos, a threuliodd Rob ac Euan a minnau'r rhan fwyaf o'r amser ar slediau ar y bryniau y tu ôl i'r pentref.

Buon ni'n edrych i weld lle roedd Iris yn Gambia bob dydd. Roedd hi'n dal ar yr un gilfach lle roedd hi wedi bod am wythnosau. Yna, ganol mis Mawrth pan oedd y rhan fwyaf o'r eira wedi toddi o'r bryniau, gan adael llinellau llwyd brwnt yn yr hafnau dyfnaf, newidiodd signal Iris. Gadawodd Gambia a hedfan tua'r gogledd, i fyny ar hyd arfordir Senegal.

Ar ôl yr holl fisoedd yn Affrica, roedd hi ar ei ffordd,

yn ôl fan hyn.

I'r Alban.

Buon ni'n dilyn ei thaith bob cyfle gawson ni. Roedden ni yn ystafelloedd cyfrifiadur yr ysgol bron bob amser egwyl ac amser cinio nes i Mrs Wicklow ddod i wybod. Allen ni ddim credu pan ofynnodd i ni a allai roi taith Iris ar y bwrdd gwyn, er mwyn i'r dosbarth cyfan ei dilyn hi hefyd. Byddai hi'n dod â'r gwersi i ben hanner awr yn gynnar er mwyn i ni edrych ar ffotograffau o'r wawr yn torri yn y diffeithwch, bugeiliaid Berber yn uchel ym mynyddoedd Atlas, heidiau o adar ar aberoedd, a gwartheg yn pori mewn caeau gwyrdd yn yr iseldir.

Roedd Hamish yn dilyn taith Iris hefyd. Cwrddais ag ef ar ôl yr ysgol un diwrnod i gael golwg ar y nyth i fyny ar y llyn. Roedd hi'n gymylog ac yn llonydd. Roedd llinellau tenau o niwl yn cydio wrth frigau'r pinwydd, ac roedd y coed deri a'r coed ceirios yn noeth, yn aros i'r gwanwyn ddod.

'Mae Iris wedi gadael Sbaen,' meddwn i. 'Mae hi'n hedfan mewn llinell syth, tua'r gogledd, ar draws Bae Vizcaya.'

Nodiodd Hamish. 'Dwi'n synnu ei bod hi'n hedfan dros ddŵr agored. Fel arfer mae gweilch yn dod i fyny drwy Ffrainc ac yn gorffwyso ar y ffordd. Mae'n debyg fod brys arni i ddod 'nôl i'r nyth.'

'Fydd hi'n iawn?' gofynnais.

'Mae adar eraill wedi dilyn y llwybr hwnnw o'r blaen.'

Arhosodd wrth lan y llyn a thynnu ei finocwlars allan. 'Fe allai hi fod yma ymhen yr wythnos,' meddai.

'Pa ddiwrnod fydd hi'n cyrraedd, ti'n meddwl?' gofynnais.

Ond doedd Hamish ddim yn gwrando. Roedd ei finocwlars wedi'u hoelio ar y clwstwr o binwydd ar yr ynys greigiog, ac roedd yn wên o glust i glust.

'Beth yw e?' gofynnais.

'Cymer olwg,' meddai, gan roi'r binocwlars i mi a phwyntio ar draws y llyn. 'Edrych ar hwnna.'

Pennod 40

Allwn i ddim aros i ddweud wrth Jeneba beth roedd Hamish a minnau wedi'i weld ar y llyn, a'r diwrnod canlynol cefais gyfle. Derbyniais neges e-bost oddi wrthi:

Oddi wrth: Jeneba
Anfonwyd: 31 Mawrth 20.30 GMT

Pwnc: Newyddion Da

Helô Callum,
Mae'r meddygon yn dweud fy mod i'n ddigon cryf i fynd allan fan hyn a fan draw nawr, felly mae Mama Binta wedi fy ngwthio allan yn fy nghadair olwyn i'r gwe-gaffi i mi gael ysgrifennu atat ti.

Mae Mama Binta a minnau'n dod i'r Alban YFORY! Dwi mor gyffrous. Mae'r cyfan yn digwydd yn sydyn, ond dywedodd un o'r meddygon y gall fynd â ni gyda fe yn y car oherwydd mae e'n ymweld â'i deulu yn yr Alban dros y penwythnos.

Fyddaf i ddim yn gallu cysgu heno. Allaf i ddim peidio â meddwl am gwrdd â ti.

Dy ffrind,

Jeneba.

'Mam!' gwaeddais. 'Dad!' Rhedais i lawr y grisiau a neidio dros y pum gris olaf. 'Mam!' Rhuthrais i mewn i'r gegin lle roedd Mam a Dad yn gwylio'r teledu. 'Maen nhw'n dod nos yfory. Dwi newydd gael neges e-bost.'

Neidiodd Mam ar ei thraed. 'Fory? Wyt ti'n siŵr?'

Nodiais.

'Mawredd mawr!' Cododd y ffôn. 'Well i mi roi gwybod i bawb. Mae angen trefnu parti.'

Rhedais yn ôl i fyny'r grisiau er mwyn anfon neges e-bost at Jeneba. Roeddwn i bron â marw eisiau rhoi fy newyddion *i* iddi:

Oddi wrth: Callum
Anfonwyd: 31 Mawrth 20.44 GMT

Pwnc: Rasio Iris

Helô Jeneba,
Mae hynny'n wych. Allaf i ddim credu dy fod ti'n dod i'r Alban yfory. Mae'r gair yn mynd ar led o gwmpas y pentref, ac rydyn ni'n trefnu parti mawr i ti a Mama Binta pan fyddwch chi'n cyrraedd yma.

Mae gen i ddau newydd da i ti hefyd.

Gwalch y Nen

Mae cymar Iris wedi cyrraedd yn ôl! Gwelodd Hamish a minnau fe ddoe wrth y llyn yn casglu brigau i'r nyth. Tybed ble treuliodd e'r gaeaf. Efallai ei fod e wedi bod yn dy wlad di hefyd. Ond nawr mae e'n ôl yma, ar y fferm ac yn aros am Iris.

Ac am Iris mae'r newydd da arall. Mae hi bron â chyrraedd. Cyrhaeddodd hi dde-orllewin Iwerddon heno. Hedfanodd hi'r holl ffordd dros y môr o Sbaen. Mae Hamish yn meddwl ei bod hi wedi cael ei chwythu oddi ar y llwybr arferol oherwydd fel arfer mae gweilch yn dod drwy Ffrainc a de Lloegr. Mae'n rhaid ei bod hi wedi blino'n lân. Hedfanodd hi heb aros am dros saith can milltir, a chymerodd hi lai na dau ddiwrnod iddi!

Dwi wedi gweithio allan os bydd hi'n dechrau ar ei thaith yn gynnar yfory ac yn hedfan heb aros fel gwnaeth hi o'r blaen, gallai fod yn cyrraedd ein fferm ni erbyn deg nos yfory.

Mae'n well i ti frysio. Efallai y bydd hi'n cyrraedd o dy flaen di!

Allaf i ddim aros tan yfory.

Callum.

O.N. Gobeithio bod Mama Binta wedi bod yn ymarfer Dawnsio Albanaidd.

Pennod 41

Y bore canlynol rholiais allan o'r gwely ac edrych i weld lle roedd Iris. Gwenais. Roedd hi ar ei ffordd.

Roedd hi wedi dechrau'n gynnar ac yn hedfan i fyny arfordir dwyreiniol Iwerddon. Rhedais i lawr y grisiau i'r gegin i ddweud wrth Mam a Dad, ond daeth Graham i gwrdd â mi yn y cyntedd.

'Fydden i ddim yn mynd i mewn i'r gegin yn dy le di,' meddai Graham. 'Mae Mam yn dechrau mynd i banig. Mae hi'n fy anfon i i'r siop i nôl tunnell o flawd i wneud teisennau.'

Syllais i mewn drwy'r drws.

'Dyna ti, Callum,' meddai Mam yn swta. Roedd hi'n sgrwbio llawr y gegin yn wyllt. 'Gobeithio bod dy stafell di'n daclus, fe fydd angen i ti newid y gwelyau, a glanhau'r ystafell ymolchi, fe fydd angen rhagor o flancedi o'r atig arnon ni ac… o, Graham, dwyt ti ddim wedi mynd eto?'

'Gan bwyll, Mam,' meddai Graham. 'Partïon munud ola yw'r rhai gorau bob tro, wir i ti.'

'Ond mae'r holl fwyd i feddwl amdano… a'r gerddoriaeth,' meddai Mam.

Cerddodd Dad i mewn o'r buarth.

'Mae popeth wedi'i drefnu. Mae pawb o'r pentre'n dod â bwyd a diod. Fe fydd y bar ar agor. Bydd hen ddigon o bopeth.'

'Ac mae cariad Flint yn dod â'i band hi,' meddai Graham. 'Fe fydd dawnsio Albanaidd a phob dim. Mae tad Euan yn mynd i ganu ei fagbibau i'w croesawu nhw.'

'Ond…' meddai Mam.

'Paid â phoeni dim,' gwenodd Dad. 'Bydd popeth yn iawn.'

Roedden ni'n brysur drwy'r dydd. Helpodd Rob, Euan a minnau Dad i baratoi neuadd y pentref at y parti. Rhoddon ni fyrddau a chadeiriau yn eu lle, hongian addurniadau o'r to ac addurno'r llwyfan. Daeth rhagor o bobl i mewn yn y prynhawn i helpu ac i ddod â'r bwyd. Bu tad Euan yn ymarfer ei fagbibau a chyn hir roedd tipyn o barti ar y gweill. Dechreuodd Rob gêm bêl-droed rhwng y plant a'r rhieni, ac ymunodd Mrs Wicklow hyd yn oed.

Pan oedd popeth yn barod, aeth Dad a minnau adref i newid.

'Does dim llawer o amser gyda chi,' meddai Mam wrth i ni gerdded drwy'r drws. 'Dwi newydd gael galwad ffôn. Mae Jeneba a Mama Binta wedi cael siwrne hwylus. Fe fyddan nhw yma cyn pen awr.'

Rhuthrais i fyny'r grisiau. Yn sydyn, roeddwn i'n teimlo'n nerfus. Doeddwn i ddim wedi cwrdd â Jeneba wyneb yn wyneb o'r blaen. Beth petai hi ddim yn fy hoffi? Beth petai hi'n cael ei siomi wrth weld ein pentref ni, ar ôl yr holl edrych ymlaen?

Newidiais fy nillad a mynd i lawr i'r gegin lle roedd Dad yn gwylio newyddion chwech. Roedd e'n gwisgo'i jîns a'i grys siec glas, ac yn cribo'i wallt o flaen y teledu.

'Dere,' meddai Mam. 'Mae Hamish yn rhoi lifft i ni. Dwi'n gallu ei weld e'n dod i fyny'r lôn nawr.'

'Hoffwn i weld y tywydd,' meddai Dad.

Eisteddais i lawr wrth ei ymyl a symud fy nhraed o gwmpas o dan y bwrdd. Allwn i ddim aros yn llonydd.

Roedd y dyn tywydd yn sefyll o flaen map mawr o Brydain ac yn symud ei law ar draws yr Alban.

'Bydd gogledd y Alban yn cael cyfnod o dywydd sefydlog dros yr ychydig ddiwrnodau nesaf,' meddai. '*Ond dyw hynny ddim yn wir am Gymru a gorllewin Lloegr. Mae rhybudd tywydd garw ar gyfer Cymru a Môr Iwerddon. Edrychwch pa mor agos mae'r isobarrau yna. Fe allwn ni ddisgwyl gwynt cryf iawn felly.'*

Syllais ar y map. Roedd yn dangos y tywydd fel roedd hi yr eiliad honno. Roedd storm yn symud ar draws Môr Iwerddon nawr. Dyna lle roedd Iris, allan yn y gwyntoedd hynny, yn y storm honno.

Rhuthrais i fyny i'm hystafell a thanio'r cyfrifiadur. Efallai ei bod hi wedi llwyddo i hedfan o flaen y storm. Efallai ei bod hi'n cysgodi ar y tir yn rhywle'n barod.

Roedd fy nghalon yn curo fel gordd.

Goleuodd sgrin y cyfrifiadur.

'Dere,' meddwn i. 'Dere.'

Ond doedd dim signal.

Dim byd.

Roedd hi fel petai wedi diflannu oddi ar wyneb y ddaear.

Ceisiais beidio â meddwl am y storm, ond y cyfan y gallwn ei weld a'i glywed oedd gwynt yn udo a môr tymhestlog.

Synhwyrodd Iris fod y storm yn dod cyn i'r cymylau duon ymgasglu a ffurfio uwch ei phen. Symudodd draw o ffrydiau troellog y gwynt, gan hedfan yn gyflym. Ond roedd y storm yn gynt. Gwthiodd ei ffordd ar draws y môr, gan ei droi'n donnau llwydwyrdd fel mynyddoedd ewynnog.

Cafodd Iris ei churo gan y gwynt. Roedd ei hadenydd yn llawn heli. Roedd yr awyr a'r môr yn wyn gan ewyn. Roedd yn glynu wrth ei hwyneb ac yn ymestyn yn ddwfn i'r haenau o blu mân. Teimlai'n drwm, yn llawn dŵr. Roedd hi'n hedfan i gadw'n fyw.

Roedd y tonnau'n codi ac yn disgyn oddi tani ac yn troi'n wyn ac yn aneglur. Cododd un don wrth ei hochr, yn uwch na'r gweddill, yn uwch ac yn uwch, nes iddi dorri a disgyn gan ei lapio'i hun o'i hamgylch. Caewyd Iris mewn twnnel gwyn, taranllyd. Cyffyrddodd blaenau ei hadenydd â'r wal o ewyn. Torrodd drosti, gan ei gwthio i mewn i'r môr. Trodd drosodd a throsodd, a rhuthrodd yr heli i mewn i'w phig a'i ffroenau.

Cododd i fyny i'r wyneb ac ysgwyd y dŵr o'i phen. Torrodd y strapiau roedd y bobl wedi'u clymu wrthi ac arnofio'n rhydd. Crafangodd nhw, gan eu gwthio i lawr, lawr i'r dŵr. Cododd Iris i'r awyr wrth i don arall ymddangos fry uwch ei phen. Roedd ei thraed yn dal i lusgo o dan wyneb y dŵr wrth i'r don ddod tuag ati yn bentwr o ewyn gwyllt.

Pennod 42

'Ry'n ni wedi'i cholli hi,' meddwn i wrth Hamish wrth iddo ddod i mewn i'r gegin. 'Does dim signal.'

'Dwi'n gwybod,' meddai'n dawel. 'Dwi newydd fod yn edrych hefyd.' Gwgodd, a'r rhychau ar ei dalcen yn llinellau dwfn. 'Mae'r trosglwyddyddion wedi cael eu cynllunio i gwympo i ffwrdd yn y pen draw. Weithiau maen nhw'n torri, yn peidio â gweithio.'

'Roedd e'n gweithio'r bore 'ma,' meddwn i. 'Mae hi wedi mynd, Hamish, wedi mynd.'

Rhoddodd Hamish ochenaid hir.

'Y cyfan dwi'n ei ddweud yw hyn,' meddai. 'Allwn ni ddim rhoi'r ffidil yn y to. Ddim eto.'

Eisteddais yn ôl yn fy nghadair ac ysgwyd fy mhen. 'Dyw hi ddim wedi cyrraedd pen y daith.'

Rhoddodd Dad ei freichiau am fy ysgwyddau. 'Dere,' meddai. 'Dwi'n gwybod bod hyn yn sioc, ond mae'n rhaid i ni fynd â ti i'r parti i groesawu Jeneba.'

Nodiais a'u dilyn nhw allan i Land Rover Hamish. Gwibiodd y bryniau a'r caeau heibio a chyn hir roedd Hamish yn troi mewn i faes parcio llawn neuadd y pentref.

Trodd Mam tuag ataf a gwasgu fy llaw. 'Cymer anadl ddofn,' gwenodd. 'Gwna hyn i Jeneba, o'r gorau?'

Camais allan o'r car.

'Callum, dyma ti o'r diwedd' gwaeddodd Rob.

Trois a gweld Rob ac Euan yn gwthio'u ffordd tuag ataf.

'Ble wyt ti wedi bod?' meddai Euan. 'Mi fyddan nhw'n cyrraedd unrhyw funud.'

Gwaeddodd llais tad Rob dros bawb. Roedd e'n sefyll ar ben ei dryc. 'Maen nhw yma!' bloeddiodd. 'Dwi'n gallu'u gweld nhw, yn dod i fyny'r ffordd.'

Yn sydyn roedd pawb yn tyrru at ei gilydd, yn blant ac oedolion, a phawb yn chwerthin ac yn gweiddi. Doedd neb yn rhoi gorchmynion, ond rywsut llwyddon ni i ffurfio dwy res hir i fyny'r ffordd i groesawu Jeneba a Mama Binta.

Daeth eu car i mewn i'r pentref ac i fyny i'r neuadd. Camodd Mama Binta ar y palmant, wedi'i lapio mewn sioliau a blancedi. Roedd pawb yn gweiddi ac yn curo dwylo, ac roeddwn i'n tybio bod Mama Binta'n methu dweud gair am y tro cyntaf erioed.

Roedd Jeneba'n chwifio'i dwylo'n wyllt drwy'r ffenest. Gwyliais wrth i Mam a Hamish ei helpu allan o'r car ac i mewn i'w chadair olwyn. Allwn i ddim credu ei bod hi yma, yn yr Alban, yn ein pentref ni. Yn sydyn, allwn i ddim meddwl am unrhyw beth i'w ddweud. Es yn ôl i ganol y dyrfa.

'Callum McGregor?' Roedd Mama Binta yn camu'n fras tuag ata i. 'Callum McGregor, beth wyt ti'n wneud yn cuddio fan'na?' gwaeddodd. 'Dere 'ma, y llyngyren!'

Roeddwn i'n cael fy ngwthio ymlaen gan y dyrfa tuag at Jeneba a Mama Binta. Roedd Jeneba'n gwenu a rhoddodd Mama Binta ei breichiau amdanaf a rhoi cwtsh fawr i mi. 'Wel, Callum,' meddai. 'Dwi wedi bod yn edrych ymlaen at y diwrnod hwn ers amser *maith iawn*.'

Roedd pawb yn gweiddi ac yn curo dwylo eto.

Dyma fi'n gwthio'r gadair olwyn, ac arweiniodd Jeneba a minnau'r ffordd i mewn i'r neuadd.

PENNOD 43

Roedd Graham yn iawn. Roedd yn barti gwych. Trefnodd cariad Flint fod pawb yn dod o hyd i bartner a dechreuodd hi alw'r dawnsiau. Roedd Mama Binta i fyny yno'n troelli o gwmpas ar fraich Hamish. Bu Rob ac Euan a rhai o'r merched o'r ysgol yn gwthio Jeneba o gwmpas yn y gadair olwyn. Roedd cerddoriaeth a phobl yn bwyta, yn yfed ac yn dawnsio tan iddi fynd yn hwyr.

Mr McNair oedd yr unig berson nad oedd yno. Roedd Mam wedi cynnig lifft iddo yn y car, ond ddaeth e ddim. Dywedodd wrth Mam ei fod wedi rhoi'r gorau i ddawnsio amser maith yn ôl.

'Mae'n wir ddrwg gen i am Iris,' meddai Jeneba. 'Fe ddwedodd Hamish wrtha i.'

Roedden ni'n eistedd wrth ochr ein gilydd yng nghefn y neuadd tra oedd y band yn gwneud i'r dawnswyr fynd yn gynt ac yn gynt.

'Roeddwn i'n ysu am ei gweld hi,' meddwn i.

Nodiodd Jeneba. 'Ro'n i'n edrych i fyny i'r awyr drwy'r dydd. Ro'n i'n gobeithio'i gweld hi ar y ffordd yma.'

Edrychais draw ar Jeneba a sylweddoli ei bod hi yma, go iawn. Nid dim ond enw ar ddiwedd neges e-bost oedd hi. Roedd hi yma mewn gwirionedd, ar ôl popeth oedd wedi digwydd.

'Dwi'n falch dy fod ti yma,' meddwn i.

Gwenodd Jeneba arnaf. Estynnodd am fy llaw a'i gwasgu, yn dynn. 'A minnau hefyd.'

Eisteddodd Dad i lawr mewn cadair wrth ein hymyl. Roedd e'n chwys diferol. 'Mae Mama Binta'n gallu dawnsio, on'd yw hi?' meddai. Edrychon ni draw a gweld rhywun arall yn troelli Mama Binta ac yn ei chwyrlïo ar draws y llawr dawnsio.

'Ry'ch chi'n edrych wedi blino'n lân eich dau,' meddai Dad. 'Mae hi wedi troi hanner nos. Dewch, fe awn ni â chi adre. Mae'n rhaid i fi fwrw golwg dros y defaid, beth bynnag.'

Gyrrodd Hamish ni adref. Roedd y mynyddoedd yn ddu las yn erbyn yr awyr ganol nos. Roedd niwlen denau fel goleugylch o gwmpas y lleuad.

'Ewch i mewn i wneud siocled poeth i chi eich hunain,' meddai Dad. 'Fydda i ddim yn hir yn bwrw golwg dros y defaid.'

Helpodd Hamish Jeneba i ddod i lawr o'r Land Rover. Rhoddodd Jeneba ei ffyn baglau o dan ei cheseiliau.

'Edrychwch,' meddai. 'Mae'r meddygon yn dweud y galla i drio cerdded ychydig bach ar ffyn baglau nawr.'

'Mae hynny'n anhygoel,' gwenodd Hamish. Helpodd hi ar draws y buarth caregog at ddrws y gegin.

'Hamish?' meddwn i.

Trodd i edrych arnaf.

'Wnei di fynd â ni i fyny'r bryn bore fory, dim ond ni?' gofynnais. 'Dwi wedi addo dangos y nyth i Jeneba.'

Nodiodd Hamish. 'Dwi'n gweithio fory, felly bydd raid i ni fynd yn gynnar.'

'Byddwn ni'n barod,' meddwn i.

Dilynais Jeneba i'r gegin yn araf.

'Wyt ti eisiau siocled poeth?' gofynnais.

Nodiodd Jeneba. 'Dwi'n dwlu ar siocled poeth. Dwi'n ei gael e drwy'r amser yn yr ysbyty.'

Eisteddodd wrth y bwrdd wrth i mi ferwi'r llaeth a throi'r powdr siocled i mewn. Roedd hi'n edrych yn flinedig, ei phen yn ei dwylo a'i llygaid yn hanner cau. Roeddwn innau'n teimlo'n flinedig hefyd. Roedd hi wedi bod yn ddiwrnod hir.

'Dyma ti,' meddwn i. Gwthiais y pentwr dillad roedd Mam wedi'u smwddio a phapur Dad naill ochr a rhoi'r siocled poeth o'i blaen.

Eisteddais a lapio fy nwylo am fy nghwpan fy hun, gan adael i'r gwres dreiddio drwof i. Roeddwn i mor flinedig, roeddwn i'n teimlo y gallwn fod wedi aros fel yna, yn syllu i'r ager. Gwyliais ef yn codi i fyny. Roedd yn gwneud i mi feddwl am Iris yn cylchu fry yn yr awyr.

Estynnodd yr ager troellog ei adenydd pluog a hedfan yn gylchoedd diog, araf i'r awyr. Cododd yn uwch ac yn uwch a chyffwrdd â'm hwyneb â blaen ei adenydd. Cylchodd dros y papur newydd a'r crysau oedd wedi'u smwddio. Cododd fry ar draws y mynyddoedd â'u botymau gwyn a'r geiriau yn y cymoedd. Hofranodd tuag ataf eto. Roeddwn i eisiau ei ddal yn fy nwylo, cydio ynddo a'i gadw am byth. Estynnais fy mysedd ond llithrodd drwyddyn nhw, gan droi'n llinynnau tenau a diflannu.

Roedd Jeneba'n edrych arnaf, ac yn gwenu. 'Ti'n gwybod,' meddai, 'falle dy fod ti fel y marabout. Falle fod ysbryd yr adar yn hedfan atat ti hefyd.'

Pennod 44

Deffrais yn gynnar y bore wedyn. Codais o'r gwely a syllu allan drwy'r ffenest. Roedd niwl wedi ein llyncu ni yn ystod y nos. Doeddwn i ddim yn gallu gweld dim byd y tu allan, dim ond gwynder llachar. Roedd y tŷ fferm yn rhyfedd o dawel a llonydd. Llithrais fy siwmper a'm jîns amdanaf a mynd i'r gegin.

Roedd Mam yn paratoi brecwast ac roedd Dad yn eistedd mewn cadair a'i ben yn ei ddwylo.

'Dwi ddim yn gallu mwynhau parti fel ro'n i'n arfer gwneud,' cwynodd.

Winciodd Mam arnaf a rhoi plât o sosej, bacwn ac wy o'i flaen. 'Bwyta hwnna,' meddai.

Daeth sŵn traed ar y buarth y tu allan a cherddodd Graham i mewn drwy'r drws yn swnllyd.

'Bydd ddistaw!' sibrydodd Mam. 'Mae Jeneba a Mama Binta'n dal i gysgu.'

Eisteddodd Graham wrth ymyl Dad. 'Mae'n anodd gweld dy drwyn yn y niwl 'na.' Pwysodd draw a chydio mewn sosej oddi ar blât Dad. 'Ddylen ni ddim gwastraffu bwyd,' meddai gan ei stwffio yn ei geg.

'Dyma nhw,' meddai Mam.

Trois a gweld Mama Binta yn helpu Jeneba drwy'r drws. Tynnodd Mam gadair â chlustog meddal allan a helpu Jeneba i eistedd.

Roedd Jeneba'n edrych fel petai'n gwisgo deg siwmper, siaced, pâr o drowsus tew, sanau cerdded gwlân a hen het las. 'Beth wyt ti'n feddwl, Callum?' meddai. 'Ydw i'n barod am y mynyddoedd?'

Chwarddais. 'Dwi'n credu y byddi di'n gallu cyrraedd gwersyll cynta Everest yn y dillad 'na.'

Tynnodd Mama Binta ei siôl am ei hysgwyddau a phwyso yn erbyn y ffwrn gynnes. 'Welwch chi ddim ohono i ar unrhyw fynydd,' crynodd. 'Mae e fel byw mewn rhewgell fawr allan fan'na.'

'Does dim pwynt mynd at y llyn tan ar ôl amser cinio beth bynnag,' meddai Dad. 'Falle bydd y niwl wedi clirio erbyn hynny.'

'Ond Dad...' meddwn i. 'Dyw hynny ddim yn rhoi llawer o amser i ni. Mae mam a thad Rob yn mynd â Jeneba allan y prynhawn 'ma i'r melinau gwlân, a beth bynnag...' Daeth sŵn injan yn cyrraedd y buarth i dorri ar fy nhraws, a dau gylch o olau yn y niwl. '...mae Hamish yma.'

Pennod 44

Curodd Hamish ar y drws a cherdded i mewn i'r gegin. 'Bore da, bawb,' gwenodd. Trodd at Jeneba a minnau. 'Ydych chi'n barod i fynd i weld y nyth?'

Nodiodd y ddau ohonom.

'Dere 'te, Jeneba,' meddai Hamish. Daliodd ei ddwylo allan iddi. 'Fe awn ni â ti i mewn i'r Land Rover nawr.'

'Ond dy'n nhw ddim wedi cael brecwast,' meddai Mam.

'Fe gawn ni fe wedyn,' galwais, 'Mae'n rhaid i fi nôl rhywbeth.' Rhuthrais i'm hystafell i chwilio am fy minocwlars. Doeddwn i ddim wedi'u defnyddio nhw ers y llynedd. Estynnais nhw o ben y cwpwrdd dillad a mynd yn ôl i lawr i'r gegin.

'Weli di ddim llawer drwy'r rheina,' meddai Dad wrth i mi fynd drwy'r drws.

Roedd y niwl yn pwyso yn fy erbyn, yn llaith ac yn drwm, wrth i mi groesi'r buarth.

Roedd Jeneba yn y sedd flaen yn barod. Agorais y drws a dringo i mewn wrth ei hymyl, a'r ffyn baglau rhyngon ni. Chwyrnodd y Land Rover wrth gael ei danio a gyrrodd Hamish allan o'r buarth ac i fyny lôn y fferm tua'r llyn. Ymddangosodd defaid allan o'r niwl a syllu arnom wrth i ni fynd heibio. Ceisiodd Hamish gryfhau'r goleuadau blaen, ond bownsiodd y golau'n ôl tuag aton ni. Trodd y llwybr o gwmpas ael y bryn a dechrau dringo'n serth.

'Dwi'n credu ein bod ni wedi mynd heibio i'r lôn sy'n arwain i'r llyn,' meddwn i.

Syllodd Hamish i'r niwl. 'Wyt ti'n siŵr?'

Edrychais o gwmpas, ond roedd popeth yn wyn. Doedd dim byd i'w weld.

'Dwi'n credu,' meddwn i. 'Ddylen ni ddim bod yn dringo mor serth.'

Llithrodd y Land Rover ychydig i'r ochr ar y lôn fwdlyd. 'Alla i ddim troi rownd eto,' meddai Hamish dan ei wynt. 'Well i ni gario 'mlaen. Os arhosa i nawr, allen ni fynd yn sownd.'

Gyrrodd dros y creigiau a'r cerrig yn araf. Rhoddodd Jeneba ei dwylo ar y dashfwrdd i'w sadio'i hun. O dan fy ffenest, roedd ymyl y lôn yn diflannu i'r niwl troellog.

'O leia bydda i'n gallu dweud 'mod i wedi bod ar y mynyddoedd,' meddai Jeneba, 'hyd yn oed os na alla i eu gweld nhw.'

'Mae'n goleuo rywfaint o'n blaenau ni,' meddai Hamish.

Roedd y tir yn fwy gwastad erbyn hyn, a phorfa drosto. Roedd hi'n oleuach ac yn fwy llachar; roedd lliw wedi llithro'n ôl i'r byd. Trywanai amlinell haul oren drwy'r niwl. Gyrrodd Hamish y Land Rover yn ei flaen drwy'r gwynder oedd yn graddol ddiflannu ac allan i heulwen braf ac awyr las las.

Diffoddodd yr injan ac eisteddon ni mewn tawelwch gan edrych o gwmpas.

Chwibanodd Hamish yn dawel. 'Dyw'r olygfa hon ddim i'w gweld bob dydd.'

Roedd copaon y mynyddoedd yn ymwthio uwchben y cymoedd llawn niwl. Roedden nhw'n codi fel ynysoedd uwchben môr o gymylau gwynion.

'Wnewch chi fy helpu i lawr?' gofynnodd Jeneba.

Roedd golwg ddifrifol iawn ar ei hwyneb.

'Dwi eisie cerdded,' meddai.

Helpodd Hamish hi i lawr o'r Land Rover. Rhoddais y ffyn baglau iddi, ond ysgydwodd ei phen. 'Mae'n rhaid i fi wneud hyn ar fy mhen fy hun.'

Agorodd ei breichiau i'w sadio'i hun. Ac yn araf, cerddodd am y tro cyntaf, gan roi un droed o flaen y llall.

'Rwyt ti'n cerdded!' gwaeddais. 'Rwyt ti'n cerdded, wyt wir!'

Arhosodd a throi ataf, yn wên o glust i glust. 'Edrych, Callum,' meddai. 'Roedd y marabout yn iawn.'

Camodd Jeneba tuag ataf drwy'r grug oedd wedi'u gorchuddio â niwl. Roedd yn cyrlio o gwmpas ei thraed fel tonnau.

Roedd hi'n cerdded uwchben y byd, ar draws cefnfor o gymylau llachar.

'Dwi'n gallu gweld am filltiroedd,' meddai. 'Dyw'r mynyddoedd yma byth yn dod i ben.'

'Tria'r rhain,' meddwn i. Tynnais y binocwlars allan o'r cas. Llithrodd loced fach aur allan ar fy llaw. Loced Iona oedd hi. Roedd hi ar agor yng nghledr fy llaw, a wyneb Iona'n gwenu arnaf.

Ac yn sydyn, roedd hi fel petai Iona yno gyda ni ar y mynydd. Roedd hi fel petai hi wedi bod yno erioed. Plygais fy mysedd am y loced a chydio ynddi. Roedd fy llygaid yn llosgi'n boeth â dagrau oedd yn mynnu dod.

'Cymer hon,' meddwn i. Rhoddais y loced yng nghledr llaw Jeneba. 'Byddai fy ffrind wedi eisie i ti ei chael hi.'

Trois a chau fy llygaid yn dynn, ond daeth y dagrau beth bynnag.

Roeddwn i wedi addo i Iona y byddwn i'n gofalu am Iris. Roeddwn i wedi gwneud fy ngorau. Oes yn ôl, roedd Iona a minnau wedi eistedd ar ael y bryn hwn yn gwylio Iris yn hedfan dros y llyn a'r cwm. A nawr roeddwn i wedi colli'r ddwy.

Neidiais pan roddodd Jeneba ei llaw ar fy ysgwydd. 'Kulanjango…' meddai.

Trois i edrych arni.

'Kulanjango,' meddai Jeneba eto. 'Edrych, Callum. Mae hi'n dod.'

Sychais fy llygaid a syllu drwy'r dagrau. Ac yno, uwchben y môr o gymylau gwyn, roedd aderyn yn hedfan, a'i adenydd ar led. Hofranai fry uwch ein pennau, yn galw'n uchel drwy'r awyr las.

Daeth ateb o'r niwl yn y cwm islaw.

'Gwalch y pysgod,' sibrydais.

Trodd yn araf a hedfan yn agos, uwch ein pennau. Gallwn glywed yr aer yn rhuthro drwy flaenau'r plu. Gwyddwn yn iawn mai Iris oedd hi.

'Mae hi 'nôl!' bloeddiais. 'Mae hi 'nôl!'

Rhedais ar hyd y ddaear oddi tani, a'm traed yn hedfan dros y borfa.

Agorais fy mreichiau ar led fel adenydd aderyn, a rasio'r tu ôl iddi, yn dilyn ei chysgod.

Trodd wrth hedfan a galw eto, 'Cîî... cîî... cîî.'

A'r eiliad fer, ryfeddol honno, edrychodd ei llygaid melyn fel blodau'r haul yn syth i'm llygaid innau.

Cydnabyddiaeth

Diolch i'm cyd-fyfyrwyr a'r staff ym mhrifysgol Sba Caerfaddon, yn enwedig Julia Green am ei brwdfrydedd diflino am y cwrs. Rwy'n ddyledus i Nicola Davies am ei chraffter a'i hanogaeth wrth i mi ysgrifennu'r llyfr hwn. Heb ei help hi, byddai'r tudalennau'n llawn defaid. Diolch yn fawr i Victoria Birkett, fy asiant, i Liz Cross a'r tîm yng Ngwasg Prifysgol Rhydychen, ac i Mark Owen a greodd y llyfr hwn o'm llawysgrif. Yn olaf, diolch yn arbennig i Mam a Dad am fy nghefnogi, i'm plant am wrando arnaf ac i Roger am fod â ffydd ynof.

Mae llawer o'm hymchwil am weilch y pysgod wedi dod o Sefydliad Ucheldir yr Alban dros Fywyd Gwyllt (*www.roydennis.org.uk*), yr RSPB (*www.rspb.org.uk*) ac Ymddiriedolaeth Bywyd Gwyllt yr Alban (*www.swt.org.uk*). Daeth yr ysbrydoliaeth am ran Gambia'r stori drwy ymweld â gwefan Apêl Ysbyty Bansang (*www.bansanghospitalappeal.com*). Diolch i ymrwymiad unigolion mewn elusennau fel y rhain am y stori hon, am fod â'r angerdd a'r dewrder i wneud gwahaniaeth.

Magwyd Gill Lewis yng Nghaerfaddon. Treuliodd ran helaeth o'i phlentyndod yn yr ardd ble cadwai sw bychan a milfeddygfa ar gyfer pryfetach, llygod ac adar. Gobeithiai yn ei chalon y byddai eryr euraid yn glanio ar y bwrdd adar un dydd a fyddai angen ei chymorth ar frys. Ddigwyddodd hyn ddim. Roedd wrth ei bodd yn darllen *The Living World of Animals*. Arweiniodd ei chariad at anifeiliaid Gill i hyfforddi fel milfeddyg yng Ngholeg Milfeddygol Brenhinol Llundain. Mae hi wedi gweithio ym Mhrydain a thramor. Wrth deithio mae Gill wedi rhyfeddu at fywyd gwyllt, o lwynogod y ddinas i adar bach y su prin mewn coedwigoedd trofannol, a hefyd at straeon y bobl sy'n byw yn eu mysg.

Bellach mae Gill yn darllen ac ysgrifennu llyfrau i blant. Cwblhaodd MA mewn Ysgrifennu i Bobl Ifanc yn 2009 gan ennill gwobr y myfyriwr mwyaf addawol ar y cwrs. Mae hi'n byw yn nyfnderoedd Gwlad yr haf gyda'i gŵr a'u tri phlentyn. Mae'n hi'n dal i obeithio gweld eryr rhyw ddydd.

Gweilch y Pysgod yng Nghymru

Hanes

Gwalch y pysgod yw aderyn ysglyfaethus prinnaf Cymru heddiw; ond mae'n ymddangos mewn hen chwedlau Cymreig ac ar arfbeisi canoloesol, felly mae'n debyg fod yr aderyn yn arfer bod yn gyffredin drwy'r wlad ganrifoedd yn ôl. Roedd sawl enw arall ar Walch y pysgod yn Gymraeg, gan gynnwys Gwalch y môr, Barcud y môr, Pysgeryr a Gwalch y weilgi – mae hyn hefyd yn dangos ei fod yn aderyn cyffredin yng Nghymru ar un cyfnod.

Aderyn mudol yw'r gwalch sy'n nythu ger llynnoedd neu afonydd ac yn teithio o Ewrop i Affrica dros y gaeaf. Cafodd yr adar eu difa yng Nghymru, yr Alban a llawer o wledydd eraill, wrth i bobl eu saethu a chasglu eu hwyau. Mae'n debyg na fu un gwalch yn nythu yng Nghymru yn ystod yr ugeinfed ganrif.

Gweilch Llyn Glaslyn

Dechreuodd pâr o weilch y pysgod nythu eto yng Nghymru yn 2004 a hynny ger Llyn Glaslyn, ym Mhont Croesor, Porthmadog. Aeth yr RSPB ati i warchod yr adar a chreu canolfan i ymwelwyr wylio'r gweilch yn nythu ac yn magu eu cywion. Mae mwy o wybodaeth ar wefan RSPB (*www.rspb.org.uk/datewithnature/146948-glaslyn-ospreys*) ac mae warden y safle yn cadw dyddiadur dwyieithog (*www.rspb.org.uk/community/placestovisit/b/glaslynospreys/default.aspx*).

Gweilch Cors Ddyfi

Yna yn 2007 gosododd Ymddiriedolaeth Natur Cymru nyth artiffisial yn eu gwarchodfa ar Gors Ddyfi, ger Machynlleth ac mae'r nyth wedi ei ddefnyddio gan weilch bob blwyddyn ers hynny. Yn 2011, am y tro cyntaf, magodd pâr o weilch tri chyw ar y safle. Cafodd trosglwyddyddion lloeren eu gosod ar y cywion a gallwch wylio symudiadau'r adar ar wefan y warchodfa a blog y warden (*www.dyfiospreyproject.com*).